統計学をめぐる散歩道

―ツキは続く？　続かない？

石黒真木夫

岩波ジュニア新書 913

はじめに

この本はみなさんのすぐ近くにある統計や確率の世界の案内書です。

この本のなかで、雨が降ったりやんだり、小学生がハチを見ていたり、サッカー選手がゴールに向かってシュートを蹴(け)ったりしています。角を曲がる台風がいて、ヴェニスの商人がいます。科学者がいます。転がっているサイコロがあって「モンテカルロすごろく」などというものがあります。この本を読んだあとでは、サイコロがいままでと違って見えてくるはずです。そんな世界を、私「じい」と孫の「ユウ」が案内します。

ユウとはお話のなかで知り合っていただくことにして、私のことを少し書いておきましょう。私はしばらく前まで統計数理研究所というところで、統計学の研究をしていました。それがとてもおもしろかったのです。ものすごくおもしろかったので、そんなおもしろいことを一人だけでおもしろがっているのはもったいないと思って、この本をジュニア新書に書かせてもらうことにしました。

できるだけ専門用語を使わないようにしましたが、各章の最後に置いた「統計学的には」というセクションでは、逆にできるだけ専門用語を使いました。専門用語は太字にしてあります。本文を読んで自分で勉強してみたいと思ったときに、その専門用語を手がかりにして読むべき本を探してください。

数式について説明しておきます。「絵はわかりやすいけれど、数式はよくわからない」と感じる人がいると思います。でも数式はじつは「絵」なのです。頭のなかに置いておくとごちゃごちゃしてよくわからなくなってしまうものを、広げて並べて、いろいろなものの間の関係が見えるように配置してあります。

この本に書いた数式のなかに同じパターンのくり返しがリズムを感じさせるものがあります。式の意味にこだわらずに形を観賞するという、数式の楽しみ方もあるのです。だからこの本では、数式は「図」として扱うことにしました。

目　次

第1話
開票率０%で「当選確実」って？——標本調査

今日は市長選挙の投票日で、私も投票してきました。その選挙のニュースをテレビで見ていたユウが言いました。

「じい、開票率０%って、まだ開票してないってことでしょ？」

「そうだよ」

「それなのに当選確実って言ってる。わけわかんない」

私が「じい」でユウは私の孫の知りたがり屋です。ユウが不思議に思うのは当然です。同じようなことが気になる人は多いのではないでしょうか？　私はまず「当選」と「当選確実」の違いをユウに説明しました。じいは教えたがり屋です。

当選とは

説明を簡単にするために、立候補したのが2人だったとしましょう。この場合、当選するのは有効投票のなかで得票が多かった方の候補者です。投票用紙を調べて、有効投票を選び出して各候補者の得票数を数えるのは、選挙管理委員会の仕事です。

たとえば、有効投票が70票で、2人の候補者がそれぞれ40票、30票を得たとすると、40票を得た人が当選します。40票を得たのがA候補だったとしましょう。数え終わって、間違いないとわかった結果が選挙管理委員会から正式に発表されるニュースでは「A候補が当選確実」とは言いません。「A候補が当選しました」と言います。

それと違って、「当選確実」というのは、当選がまだ正式に発表されてないときに、新聞社とかテレビの放送局などが、自分の責任で発表するものなのです。ですから「A候補が当選確実」というのは、「当社ではA候補が当選すると考えています」という意味になります。

「今のニュースで明日の天気のことも言ってたの、聞いてたかい?」

「明日大雨になるのは確実だって言ってた」

「似てると思わない？」
「何と何が、似てるっていうの？」

当選確実は選挙予報

天気予報で「降水確率」というのを発表するでしょう。「降水」とは、空から水が降ってくることです。雪も溶ければ水なので、降ってくれば降水です。「確率」とは、何かの起こりやすさの程度を数値で表わしたものです。パーセント(%)で言うことが多いです。

たとえば「降水確率30%」なら、降水があるのは100本のうち当たりが30本のクジを引いて当たるようなものだ、ということです。気象情報では、明日になればはっきりすることを、前もって予測しようとします。選挙速報では、開票が済めばはっきりすることを、前もって予測しようとします。似てるでしょ？

ところで、降水確率では、53%などという細かい数字を言わずに、それを50%などわかりやすい数に丸めて発表します。選挙予報の場合には、当選確率を計算してみてそれが100%に近いときに、それを「丸めて」、「当選確実」と言うのです。私がそう説明するとユウは言いました。

「予報だから、開票率0％でも当選確実って言ってもいいんだ」
「そうだよ。わかったかい？」
「うん、わかった。でも当選確率ってどうやって計算するの？」

出口調査

当選確率を見積もるにもいろいろなやり方がありますが、そのなかで「出口調査」と言われる方法があります。この方法について説明しましょう。

投票所に新聞社などの人が行って、投票を済ませた人にどの候補に投票したのか聞くのが、出口調査です。全部の人に聞くのではありません。何人おきかに聞くのです。何人おきにするかは、その投票所に来ると予想される人数と、データがいくつほしいかを考えて決めます。

その結果、たとえば130人の人に聞いて、そのうち74人がA候補に投票したことがわかったとすると、A候補の最終得票率は74割る130で、だいたい57％ぐらいになるだろうと予測できます。降水確率の推定のとき「同じようなときに過去の観測日の57％で降水があったから、これからも、同じようなときの57％で降水が観測されるだろう」と考えるのと、同じ考え方です。

これは「赤い玉と白い玉が数千個混じって入っている壺をよくかき混ぜてから１３０個の玉を取り出したら、その57％が赤だったから、壺の玉全体の57％も赤玉だろう」と考えるのと同じ考え方です。かき混ぜることによって、見た玉の集まりと見なかった玉の集まりが同じ性質を持つことになるのです。

投票に来る人をかき混ぜるわけにはいきませんが、普通、投票に行く人たちは投票所に行く時間を自分の都合で決めてきますから、投票する人の順は「よくかき混ぜられた」ものになっていると考えるのです。

「天気予報がはずれることがあるでしょ」ユウが首をかしげました。

「選挙予報もはずれるんじゃない？」

得票率が50％以上である確率を考える

その通りです。絶対にはずれないとは言えません。壺のなかの玉全体の57％が赤玉だったら、そこからでたらめに選んだ１３０個の玉のうち74個が赤である可能性は高いです。しかし玉全体の55％が赤玉だった場合でも、でたらめに選んだ130個の玉のうち74個が赤である ことはあり得ます。また、玉全体の90％が赤玉だった場合でも、選んだ130個の玉のうち74個が赤ということも、ないとは言えません。

ですから、でたらめに選んだ130個の玉の74個が赤であったという証拠から「壺のなかの赤玉の割合は57％に違いない」と言い切ることはできません。しかし、統計学的な計算をすると、ほぼ確実に「48％と66％の間にある」ということが言えるのです。本当は55％であることもおおありだし、64％であっても不思議ではない、といった感じです。

つまり2人が立候補した市長選挙の場合、一方の候補者が確実に得票率50％以上と計算できた場合には、当選確実と言っていいということになります。たとえば、でたらめに選んだ人210人を調べて120人がその候補者に投票していたとわかった場合、この候補者の得票率が50％と63％の間にある確率は95％であると言えます。95％の確率で起こることを「ほぼ確実」と考えるなら、当選確実と言うことになります。

もっと慎重に、第1位の人の得票率が50％以上である確率が99％以上とわかるまでは、当選確実とは言わない人もいるでしょう。いろいろな放送局で当選確実と言うタイミングが違うのは、証拠として集めたデータの違いと、このような判断基準の違いがあるからです。

選挙と世論調査

さて、市長選挙の開票が進んで私が1票を投じた候補者が5万７０００票、もう片方の候補者が４万３０００票という結果が出ました。そのニュースを聞いたユウがやってきました。


「よかったね」

「何が？」

「だって、じいが選んだ人が当選したんでしょ。税金増やして運動公園をつくろうって言ってた人でしょ？」

「まあね」

「まあね、なの？」

「だって、税金を減らすって言ってた人に投票した人が、４万３千人もいたんだよ。市長さんはみんなのために仕事をするのだから、その人たちの意見も考えると思うよ」

「市長さんって、たいへんなんだ」

ユウにもだんだん選挙のことがわかってきたようです。

さて、運動公園をつくるといっても、サッカー場と野球場両方をつくるのがいいとか、野球場だけでいいという人とか、サッカー場だけつくるのがいいと考える人もいるかもしれません。こんなとき、選挙の結果を見ても、**表1-1**のa、b、c、dの人数がどうなっているかわかりません。

このような情報を手に入れる方法が、世論調査です。世論調査は新聞社などが住民の一部を選びだして、選ばれた人の考えを聞きに行くという形で行われるのが普通です。住民全員の意見を聞くのではなく、一部の人たちの意見を聞いて全体の数を推し量(おはか)るという点で、出口調査で選挙結果を推し量るのと似ています。

表1-1　サッカー場か野球場か

	サッカー場がほしい	サッカー場はいらない
野球場がほしい	a人	b人
野球場はいらない	c人	d人

ただし選挙の出口調査のときは、投票所に来た人のなかから何人おきかでだれに投票したかを聞くのですが、世論調査では、調査したい地域に住んでいる人の名簿を利用して、そこからでたらめに選んだ人の意見を聞きます。

ここから先はユウにきかれたことではありませんが、読者のみなさんには興味があるかもしれません。

選挙速報は役に立つ？

そもそも、選挙速報はどんな役に立つのでしょう。開票が終わるのを待って、「選挙管理委員会の発表によると……」で済むのではないでしょうか？

報道の世界では、スクープということが大変高く評価されるようです。結局は同じことを報じるにしても、他の報道機関より早く知らせたいというのは当然です。しかしそれだけではないでしょう。私は、選挙速報は次の２つの点で役に立つと考えています。

ひとつ目は、選挙結果をなるべく早く知りたい人たちのためです。立候補した人たちがなるべく早く結果を知りたいのは当然ですが、選挙というのはこれからの政治をどうするかということなので、その結果はさまざまなところに大きな影響を及ぼします。たとえば選挙の結果で株価が上がったり下がったりしても不思議ではありません。そんなことが気になる人たちにとっては、選挙速報はとても大切な情報になるでしょう。

２つ目は、統計学の研究に役立つのです。選挙速報の課題は「最終得票率をなるべく早く、少ないデータで予測することである」と考えられます。つまり、手に入ったデータから算出した最終得票率の見積もりが、どれくらい誤差を含んでいるかを計算する必要があるのです。誤差が十分に小さければ、「速報」を出せるけれど、一方の得票率がもう一方より高いかどうか不安があるときは、もっとデータがたまるのを待つ必要があります。

このように誤差を見積もることが必要な課題はいたるところにあるのですが、誤差の大きさを正確に測るためには「真の値」が必要です。たいていの場合、「誤差が小さいと思われる推定値」で真の値を代用することしかできません。そうしたなかで選挙予測は「正解」がわかるという特殊な例になっていて、統計的調査法を研究するにはもってこいのデータであると考えられます。

問題コーナー

ある投票所で、投票した人の半分ぐらいの人に聞きたいと思って、投票した人のなかで女の人だけに聞くという方法で出口調査していいでしょうか？　もしそれはよくないとしたら、どんな理由でいけないのでしょう。

【解答例】　そのような調査をしてはいけません。女の人と男の人では違うことに関心を持つ傾向があるかもしれません。特定の年代の人だけにしぼって調査するのも、また同じです。性別や年代が違っても同じように考えているかもしれませんが、そういうことを調べるために調査をするのです。

統計学的には

数多くの人(あるいはもの)のなかからでたらめに選んだ部分を調べて全体を推し量る方法を、統計学では**標本調査法**（ひょうほんちょうさほう）といいます。選び出された部分を**標本**、標本をでたらめに選ぶことを**無作為抽出**（むさくいちゅうしゅつ）といいます。

出口調査というのは、投票所に来る人が、てんでんばらばらに来ることを利用して無作為抽出の代りとしている標本調査です。なお、世論調査では、第6話に説明がある**乱数**（らんすう）を利用して、住民票のような名簿から調査する人を無作為抽出します。

第2話 生徒の偏差値・学校の偏差値——正規分布

ユウがうかない顔をして学校から帰ってきました。

「どうしたの？」

「国語のテストで52点しかとれなかった」

「難しい問題だったのかい？」

「うん」

「だったら偏差値はそんなに低くないかもしれないよ」

「ヘンサチ？　何それ？」

　みなさんも、学校でいろいろなテストを受けるでしょう。テストを受けると点数がつけられて返ってきます。みんなより高い点数がとれたのか、低い点数だったのか、気になるのではないでしょうか。

85点とったので友だちより上だと思ったら、90点以上とっている人が何人もいたり、30点しかとれなくてがっくりしていたら、意外にみんなできていなくて、自分が1番だったりすることだってあります。80点ならいい成績、30点だったから悪い成績、とは言えないわけです。テストの問題がやさしかったり、難しかったりするからです。

問題を作る先生が前もって工夫していつも同じ程度の難しさのテストにできればいいのですが、なかなかそうもいきません。

テストの順位を見る

表2-1に、テストAとテストB、2つのテストの結果を示します。また、**図2-1**は、2つのテストそれぞれの得点分布のグラフ(このようなグラフをヒストグラムといいます)です。**図2-1**はテストの最低点と最高点の間をいくつかに区切り、各区切りの範囲にある点数をとった生徒の割合がグラフと横軸の間の面積から読み取れるように描かれています。

AとBは違う科目のテストですが、同じ科目のテストでもやさしいとき、難しいときがあり、単に点数だけを見ても成績が上がっているのか、下がっているのか、よくわかりません。

成績が上がっているのかどうかを知る方法として、テストの順位を見る方法があります。順位を見るというやり方には、テストの問題がやさしいとか難しいによらずに、安定した成績判断ができる可能性があります。

テストの答案を採点して返すときに、**表2-1**のような得点分布表が配布されれば、生徒

表 2-1　2つのテストの得点分布

テスト A：25 点満点	
得点	人数
0	6
1	13
2	20
3	27
4	37
5	36
6	56
7	72
8	93
9	91
10	105
11	131
12	156
13	124
14	147
15	127
16	140
17	113
18	124
19	96
20	98
21	103
22	100
23	92
24	82
25	19
合計	2208

テスト B：17 点満点	
得点	人数
0	4
1	14
2	53
3	118
4	160
5	201
6	215
7	255
8	245
9	252
10	180
11	159
12	144
13	100
14	56
15	41
16	9
17	2
合計	2208

それぞれが自分の点より高い点をとった人の数を勘定して、自分の順位を知ることができます。たとえばユウがテストAで20点とったとすると、ユウより高い点数をとった生徒の数は、**表2-1**から、

$$103+100+92+82+19$$
$$=396$$

で、ユウが396位以上であることはありません。ユウと同じ20点をとったのが98人ですから、ユウの順位は悪くても494位です。生徒ひとりひとりが計算しなくてもすむように、**表2-2**のような表を作って配ってくださる先生もいるのではないでしょうか。

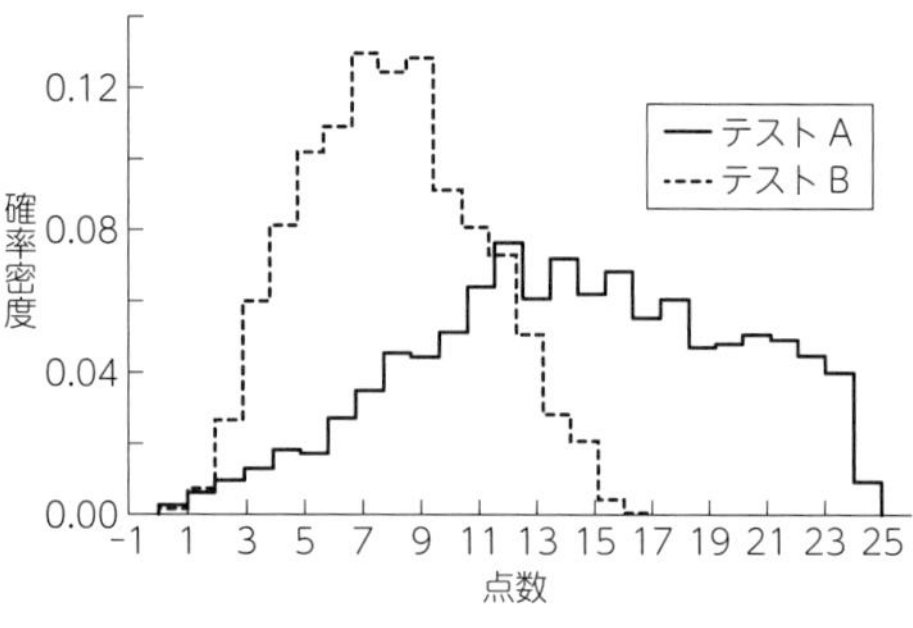

このグラフには表2-1にまとめた2つのテストそれぞれの得点分布のヒストグラムが描かれています．グラフの高さは，ある得点をとった人がもう1点多く点をとったときに%順位がどれくらい上がるかを示しています．たとえば15点の位置のテストAのグラフの高さが0.06くらいと読み取れますから，この得点の生徒がテストAでもう1点多くとっていたら0.06（=6%）くらい%順位が上がっていただろう，ということがわかります．縦軸の「確率密度」という言葉については，章末にある「統計学的には」を読んでください

図2-1　2つのテストの得点分布

この表は、テストの結果を判断するための材料としてたいへん優れたものですが、2つの

表2-2　テストAの順位表

得点	順位上限	順位下限
0	2203	2208
1	2190	2202
2	2170	2189
3	2143	2169
4	2106	2142
5	2070	2105
6	2014	2069
7	1942	2013
8	1849	1941
9	1758	1848
10	1653	1757
11	1522	1652
12	1366	1521
13	1242	1365
14	1095	1241
15	968	1094
16	828	967
17	715	827
18	591	714
19	495	590
20	397	494
21	294	396
22	194	293
23	102	193
24	20	101
25	1	19

表2-3　テストAの%順位表

得点	順位上限	順位下限
0	100	100
1	99	100
2	98	99
3	97	98
4	95	97
5	94	95
6	91	94
7	88	91
8	84	88
9	80	84
10	75	80
11	69	75
12	62	69
13	56	62
14	50	56
15	44	50
16	37	44
17	32	37
18	27	32
19	22	27
20	18	22
21	13	18
22	9	13
23	5	9
24	1	5
25	1	1

テストの参加人数が違うときの順位の比較には意味がありません。この欠点は**表2-3**のような、%表示の順位(%順位表)を使うことでなくすことができます。

ユウのテストBの点数が13点だったら、**表2-1**からテストBの順位が5%と9%の間とわかり、(点数が20点なので)18%と22%の間だったテストAよりも、ずっとよい成績だったと判断できます。

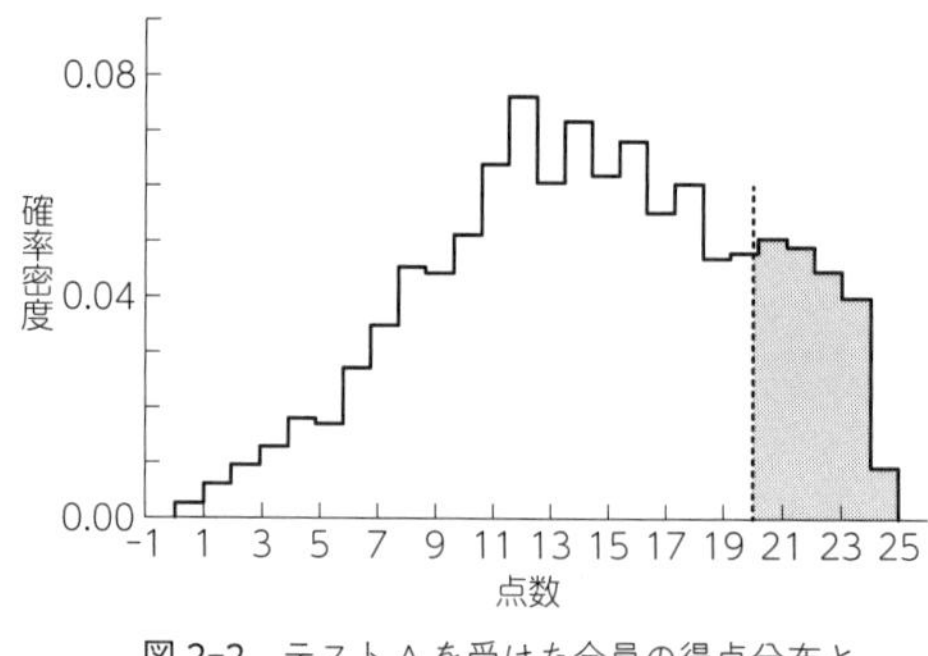

図2-2　テストAを受けた全員の得点分布とユウの得点(点線)

図2-2は**図2-1**からテストAの部分を取り出したものです。たとえばユウがこのテストで20点とっていたとすると、**図2-2**の点線の右側の実線のグラフと横軸で囲まれた領域の面積が、ユウのテストAのパーセント(%)順位になります。線の位置をずらすと右側の面積が変わります。先ほどの**表2-3**はそんなふうにして作ったのです。テストBについても、同じような図を描くことができます。

「わかる?」

「わかるけど、偏差値のことをきいたんだよ。順位のことじゃなくて」

「わかってるよ。偏差値で順位がわかるっていう話を、しようとしてたんだよ」

さて、いよいよ偏差値の話に入ります。テストの得点から図2-3の式を使って計算される値が、偏差値です。

このテストでユウと同じ20点をとった生徒の偏差値は、全員59・8となります。テストの点数と偏差値の関係は表2-4のようになります。

図2-3の式を使ってテストの点数を偏差値に直すとき、

①先生がテストの点数の平均 $\hat{\mu}$（ミューハット）と、標準偏差(データのばらつきの程度を表わす値) $\hat{\sigma}$（シグマハット）を計算して生徒に知らせる。

②生徒それぞれが図2-3の「各自の得点 y を偏差値 u に変換する式」を使って、自分の偏差値 u を計算する。

表2-4　得点と偏差値の関係

得点	偏差値
0	24.5
1	26.3
2	28.1
3	29.8
4	31.6
5	33.3
6	35.1
7	36.9
8	38.6
9	40.4
10	42.2
11	43.9
12	45.7
13	47.4
14	49.2
15	51.0
16	52.7
17	54.5
18	56.3
19	58.0
20	59.8
21	61.5
22	63.3
23	65.1
24	66.8
25	68.6

生徒 n 人の得点が $\{y_1, y_2, \ldots, y_n\}$ だったとすると

平均 $\hat{\mu}$ を計算する式：$\hat{\mu} = \dfrac{y_1 + y_2 + \cdots + y_n}{n}$

標準偏差 $\hat{\sigma}$ を計算する式：

$$\hat{\sigma}^2 = \frac{(y_1 - \hat{\mu})^2 + (y_2 - \hat{\mu})^2 + \cdots + (y_n - \hat{\mu})^2}{n}$$

$$\hat{\sigma} = \sqrt{\hat{\sigma}^2}$$

各自の得点 y を偏差値 u に変換する式：

$$u = (y - \hat{\mu}) \times \frac{10}{\hat{\sigma}} + 50$$

この式は u を計算したかったら，まず y から

$$v = y - \hat{\mu}$$

を求めこれから

$$w = v \times \frac{10}{\hat{\sigma}}$$

を計算しさらに

$$u = w + 50$$

と計算すればいいと表わしています．

数式と数式を組み合わせて並べると，それも数式になります．式のなかの「…」のところは「その前後と同じような式があると思ってください」という意味です

図 2-3　偏差値を計算する式

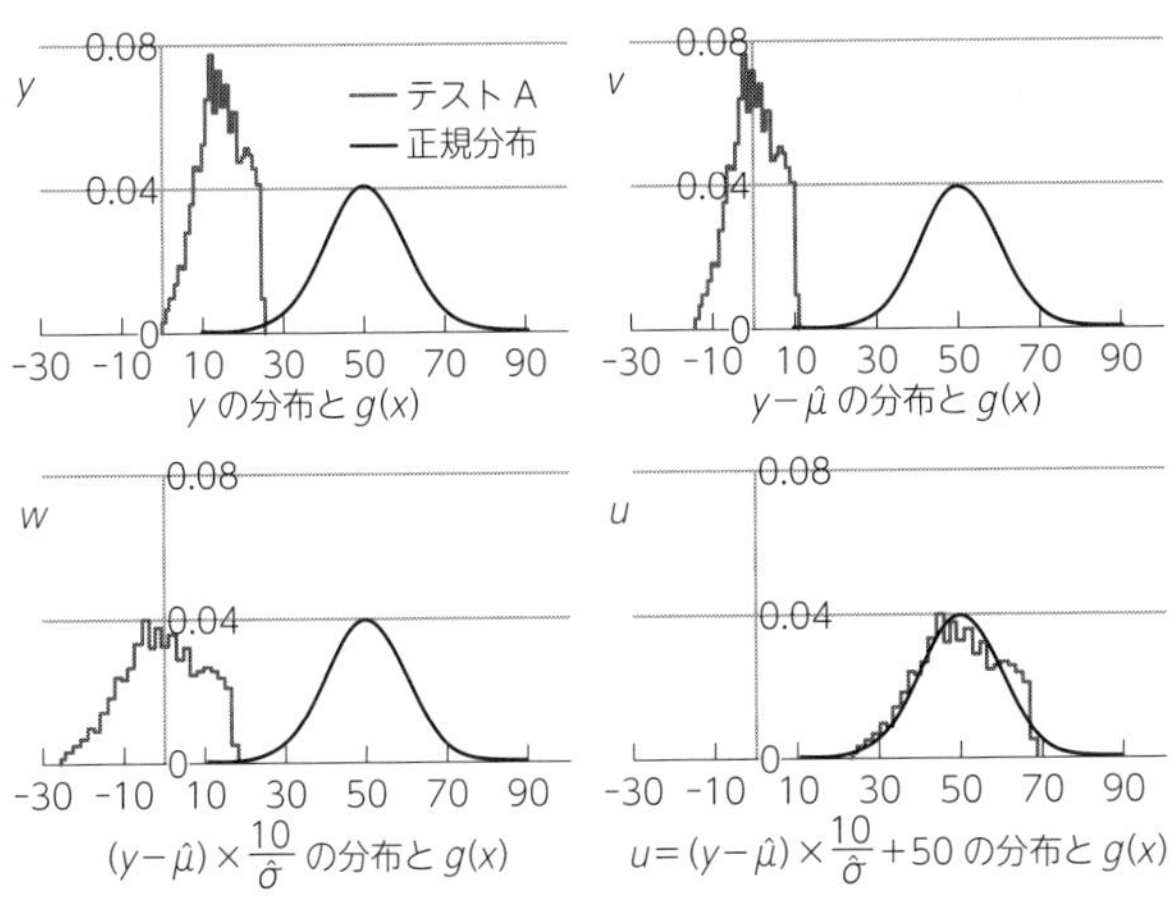

図 2-4　偏差値の計算の「意味」

という手分けが可能です。数式は「絵」であると同時に計算をどう進めたらいいかを説明しているマニュアルでもあるのです。生徒たちが y（各自の得点）→v→w→u（偏差値）と計算を進めるにしたがって、得点分布がどう変わっていくかを示したのが**図2-4**です。

図2-4の横軸30〜70のあたりに、釣鐘（つりがね）形の曲線が描かれています。この曲線は、**図2-5**の式 $g(x)$ で計算の仕方が示されている関数のグラフです。生徒の得点分布のグラフがだんだん変化して、最後の u の図では $g(x)$ の曲線とほとんど重なっています。この部分だけ取り出したのが**図2-6**です。

図2-2で、実線で描かれたグラフの点線

$$g(x) = \frac{1}{\sqrt{200\pi}} e^{-\frac{(x-50)^2}{200}}$$

この式は $\frac{1}{\sqrt{2\pi\sigma^2}} e^{-\frac{(x-\mu)^2}{2\sigma^2}}$ という平均 μ，標準偏差 σ の「正規分布の確率密度関数」とよばれる式の μ を 50，σ を 10 とした場合です．式中の π は円周率 3.14159…です．e は「自然対数の底」またはネイピア数と呼ばれる無限小数 2.71828…で表わされる数です．e はこの式だけでなくいろいろなところに出てくる大切な数ですが，e^a という形で使われるのが普通です．exp(a)という関数が使えて e^a を計算してくれる電卓もあるので 2.71828…という値を覚えていなくても，困ることはほとんどありません

図 2-5　平均 50，標準偏差 10 の正規分布の式

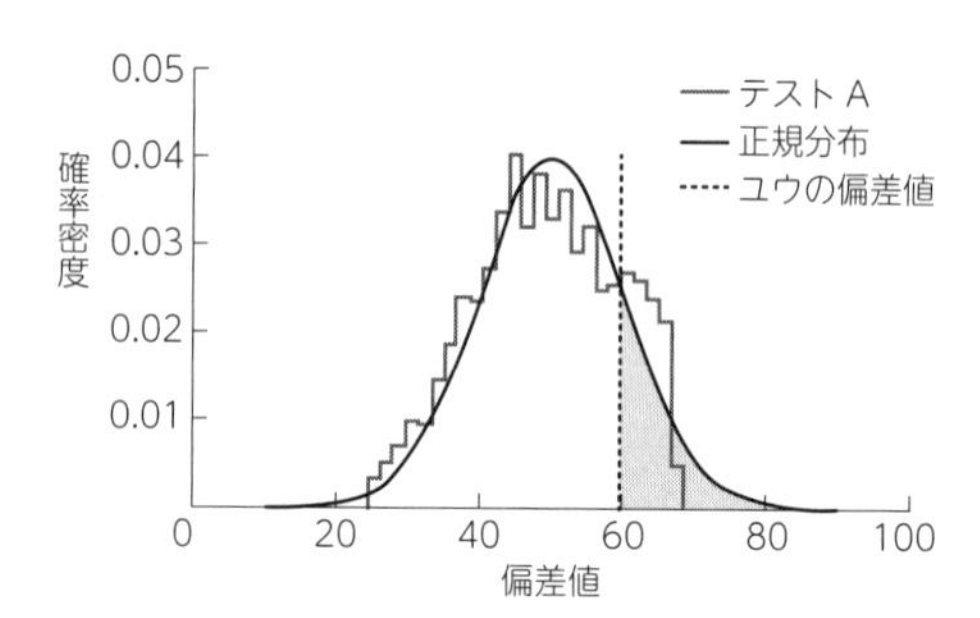

図 2-4 の u の図．実線が図 2-5 に書かれた式 $g(x)$ のグラフです．$g(x)$ のグラフには偏差値 $x = 40$ と $x = 60$ の位置に引いた縦線の間の領域の面積が全体の面積の約 68% になるという性質があります．ですからユウの偏差値 59.8 の位置に引いた縦線の右側の部分の面積は全体の面積の 16% ぐらいになります

図 2-6　テスト A を受けた全員の偏差値分布とユウの偏差値

より右側の部分の面積からユウの%順位がわかったのと同じように、図2-6に描かれた正規分布のグラフの点線より右側の部分の面積から、ユウの%順位がわかります。

$g(x)$のグラフの曲線と横軸にはさまれた領域の偏差値以上の部分の面積から表2-5のような偏差値%順位換算表が作れます。この表からユウの偏差値59・8以上の部分の面積が全体のほぼ16%(表では15・9%)であることが読み取れます。図2-2でユウの得点を示す点線よりも右側の部分の面積は18~22%でした。この値に当たらずといえども遠からず、といった値が求められるわけです。

このように、$g(x)$のグラフで自分の偏差値以上の部分の面積を利用する順位推定法は、偏差値59・8だったユウに限らず、他の生徒の順位の推定にも使えます。そのようなことができるのは、図2-6で実線のグラフが正規分布のグラフにまとわりつくように描かれているからです。図2-6の点線の位置を左右にずらしても、その右側の、実線のグラフと正規分布のグラフの面積は同じような値になります。

表2-3の順位上限と順位下限をグラフにして、表2-5に基づく推定順位を重ねると、図2-7の

表 2-5　偏差値,
%順位換算表

偏差値	%順位
20	99.9
25	99.4
30	97.7
35	93.3
40	84.1
45	69.1
50	50.0
55	30.9
60	15.9
65	6.7
70	2.3
75	0.6
80	0.1

ようになります。順位の大ざっぱな推定に偏差値が役に立つのは明らかでしょう。

採点されて返ってきた答案に偏差値が書かれていなくても、偏差値はテストの平均値と標準偏差がわかれば自分でも計算できます。つまり、先生から**表2-3**のような%順位表が配られなくても、自分で偏差値を計算して**表2-5**の換算表と照らし合わせれば、そのテストでの自分の(だいたいの)順位がわかるのです。これでわかるのは%順位ですから、これにこのテストを受けた生徒の人数をかけたのが推定順位となります。

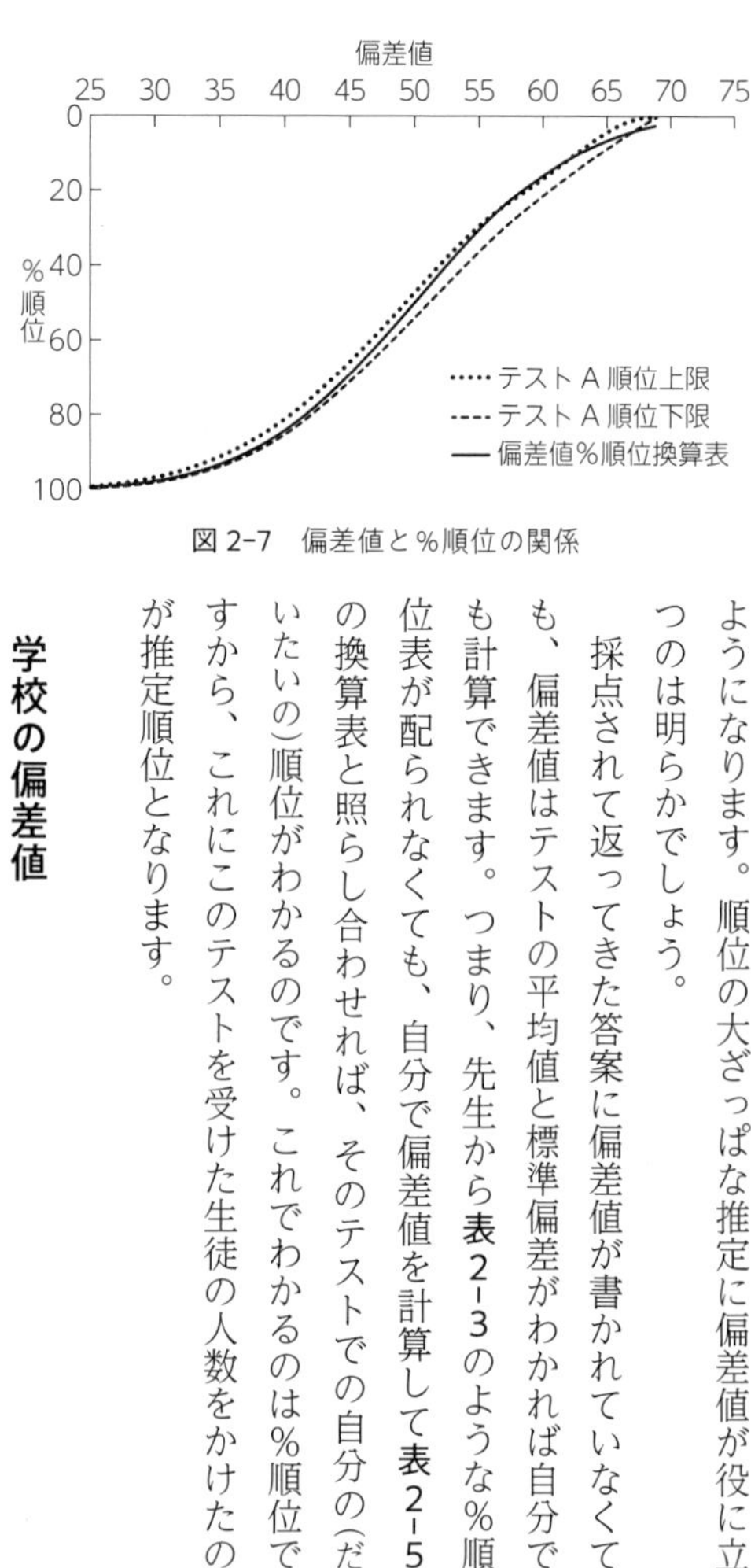

図2-7　偏差値と%順位の関係

学校の偏差値

ところで、みなさんは「学校の偏差値」という言葉を聞いたことがあるでしょう。テストの点数としての偏差値と学校の偏差値は、違うものです。関係はありますけれど違います。学校の偏差値は、たくさんの学校が何かのテストを受けてその点数から計算された偏差値ではありません。

　入学試験を受ける受験生については、模擬試験を主催する大手の予備校などが受験生の偏差値のデータを集めることが可能でしょう。その参加者が入学した学校がわかれば、各学校に入学した人たちの偏差値がわかります。

　たとえば、**表2-1**のテストAが、こうした模擬試験の結果だったとしましょう。その模擬試験を受けた生徒がX高校、Y高校、Z高校を受験していて、合格者の模擬試験の偏差値の分布が**図2-8**のようになっていたとしましょう。

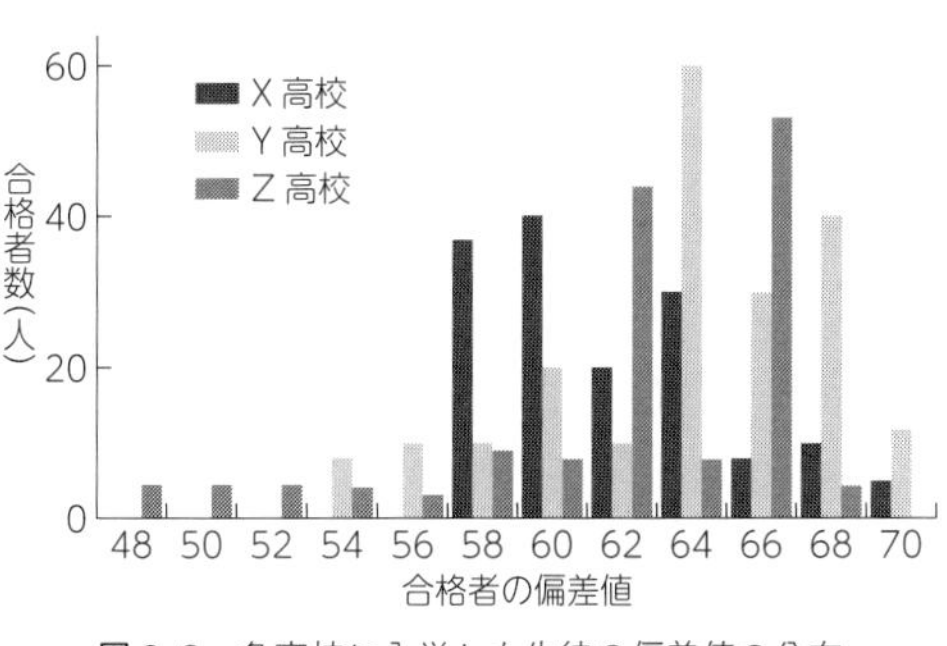

図2-8　各高校に入学した生徒の偏差値の分布

　学校の偏差値というものを決めようとしたら、このようなデータをもとに考えることになるのではないでしょうか。この例では偏差値が55より低い合格者が少ないのはたしかですが、もともとそういう人たちがこの3校を受けなかったのか、受けたけれど落ちたのかは、このデータだけからはわかりません。

学校の偏差値と自分の偏差値を並べて進路を考える人が多いと思いますが、学校の偏差値がどういうふうに決められているのかは、じつはよくわからないことと、自分の偏差値も一定不変のものでないということを頭のすみに置いておいて、ほどほどに付き合うのがいいでしょう。

テストの結果が正規分布にしたがう場合、偏差値40〜60の人が約68％います。このような人を「普通の人」ということにしましょう。人にはいろいろな才能があります。いろいろな才能それぞれになんらかのテストがあって、それらの点数の分布がすべて正規分布にしたがうものとしましょう。すると、これらのテストがそれぞれ違う能力を測るものであった場合、次のようなことが成り立ちます。

テスト2つのいずれでも普通の人と判定される人の割合は40％、3つのテストすべてで普通の人と判定される人は20％となります。テストの数を増やすとそのすべてのテストで普通の人と判定される人の割合は、どんどん減っていきます。これは「どこから見ても普通の人」など、めったにいないということを示しています。

「ユウは普通？」

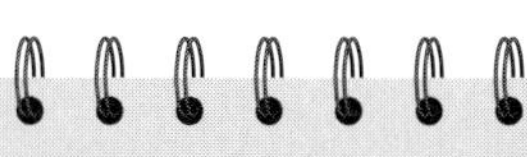

図 2-9　オイラーの等式

「普通じゃないね」
「じゃ普通なんだ」

問題コーナー

図2-5の数式をよく見ると円周率とネイピア数が入っています。円周率とネイピア数が入っている別の数式を知っていますか？

【解答例】　オイラーという人が発見した**図2-9**に示した数式が有名です。最も美しい数式と言う人がいます。私もそう思います。

統計学的には

データがどんな値をとりやすいか（データの分布といいます）を表わす数式を**確率密度関数**（かくりつみつどかんすう）といいます。世のなかには確率密度関数が

$$g(x|\mu, \sigma^2) = \frac{1}{\sqrt{2\pi\sigma^2}} e^{-\frac{(x-\mu)^2}{2\sigma^2}}$$

という式で表わされるデータが多いのです。この式で表わされる分布を**正規分布**(せいきぶんぷ)といいます。ガウスという数学者がこの分布について研究したので、**ガウス分布**と呼ばれることもあります。

試験問題は、受験生の得点の分布が正規分布に近くなるように作るのがいいとされています。さまざまな種類の小問を取りそろえたテストの合計点は、正規分布に近い釣鐘(つりがね)形になるのが普通です。**中心極限定理**(ちゅうしんきょくげんていり)によってそうなるのです。

yの分布が$g(y|\hat{\mu}, \hat{\sigma}^2)$であれば、**図2-3**で計算される$u$の分布は、$g(u|50, 10^2)$になります。**図2-5**の$g(x)$の$x$を$u$に代えれば$g(u) = g(u|50, 10^2)$なのです。

第3話　くじのわくわく——変動係数（へんどうけいすう）

ユウが紙を広げて、鉛筆（えんぴつ）で線を引いていました。
「何してるの？」と私は聞きました。
「あみだくじ」というのがユウの答えでした。

みなさん、あみだくじがどんなものか、知っていますか？

あみだくじとは？

たとえば、３人で食べるおやつをだれかひとりが買いに行くことになったときに、そのだれかを決めるのに、**図3-1**のようなくじが使えます。
このくじは、３人が上のA、B、Cをひとつずつ選んで、そこから線をたどって「買い物

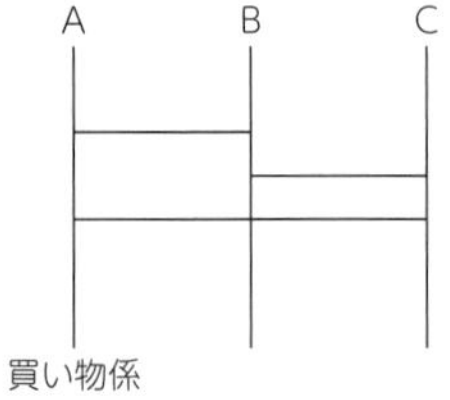

A B C

買い物係

あみだくじは，たとえばこんなふうにくじを引く人の人数分の縦線を描いて作ります．当たりを決めるときは，上から出発して線をたどって降りて行きます．下に向かう場合も横に行く場合も，十字路はそのまま突っ切りますが，T 字路では必ず曲がります

図 3–1　あみだくじ

係」に着いた人が、買い物に行くのです。この図の例では、「買い物係」になるのはAを選んだ人です。

そうなることはこの図を見れば一目瞭然ですから、実際にこのくじで決めるときは、このくじに別の紙を乗せるか折りたたむかして、上端と下端だけが見えるようにした状態でA、B、Cを選びます。くじを作った人以外が選び終わったあと、最後に残った1本が、くじを作った人のものです。

ユウが言うには、ユウのクラスの先生はサッカーが大好きで、決勝戦を見に行くのを楽しみにしていたのですが、学校の仕事の都合で試合を見に行けなくなってしまったというのです。その入場券をクラスのだれかがもらえることになったのだけど、そのだれかをくじで決めよう、というのでした。

いろいろなくじ

あみだくじでは、上から出発して当選しているかどうか調べるのと逆に、あみだくじを下から上にたどって、当たりがだれだったかを調べる方法も使えます。上からたどるとCから出発した線が当たりに行きつくけれど、当たりの方からたどっていったらBに行きつく、といったことは、決して起こりません。

あみだくじで2本の縦線の間に横線を引くのは、その縦線を入れ替えるのと同じことです。つまり、あみだくじというのは、何本かの棒のうち1本の下端に印をつけておいて、その棒を混ぜてから引くくじと同じことをしていることになります。横線を何本も引くことと、棒をごちゃごちゃにするのが同じことで、どれが当たりの棒なのか、わからなくなるのです。

同じようなもののどれかに印をつけておいて、ごちゃごちゃにする方法は他にもあります。たとえば、くじを引く人数と同じ数の玉の1つに「当たり」と書いて、玉を袋に入れてかき混ぜれば、あみだくじと同じになります。1本だけ当たりの印をつけた棒の束を使っても、1本だけ結び目を作ったひもの束を使っても同じことですが、紙と鉛筆だけで特別なものを用意する必要がないあみだくじは便利ですから、ぜひ覚えておいてください。

くじは公平？

「袋に玉を入れたくじって、順番にとっていくんでしょ」

「そうだよ」

「だったら先に引く方が得でしょ」

とユウが言い出しました。最初に引くときはそのなかに絶対に当たりくじがあるけど、あとで引くときには、もう当たりくじが取られてしまっているかもしれないというのです。

それはそうです。たとえば100個の玉のうち1個だけが当たりのくじを考えてみましょう。最初に引いた人が「当たった！」と大喜びしているときに、次のくじを引く気にはなれないでしょう。でも、「2番目に引くのは損だ」と言えるでしょうか？ こういうときは、最初にくじを引く人が当たる確率と、2番目に引く人が当たる確率の、両方を計算して比べてみます。最初に引く人の当たりの確率は、100分の1です。

2番目に引く人は、最初の人がハズレくじを引いた場合(ケース①)と当たりくじを引いてしまった場合(ケース②)があります。

「ケース①」が起きる確率は100分の99、「ケース②」が起きる確率は100分の1です。そして、「ケース②」が起きたときに2番目の人が引くくじには当たりくじが残っていませんから、当たる確率は99分の0です。「ケース①」が起きたときに2番目の人が引くくじは、

$$p(\text{当たり}) = p(\text{当たり}\mid\text{ケース①}) \times p(\text{ケース①}) + p(\text{当たり}\mid\text{ケース②}) \times p(\text{ケース②})$$

ここで，p(当たり)が２番目に引いた人の当たり確率，p(当たり|ケース①)がケース①の場合の当たり確率，p(ケース①)はケース①が起きる確率，p(当たり|ケース②)がケース②の場合の当たり確率，p(ケース②)はケース②が起きる確率です

図 3-2　２番目にくじを引く人が当たる確率を計算する公式

99本中1本当たりという最初の人が引いたくじより有利なくじです。

こんなときに、場合によらない確率の計算は、図3-2の公式にしたがって計算されます。

この公式を使って計算すると、2番目の人が当たりを引く確率が100分の1になることがわかります。結局、最初に引くのも2番目に引くのも、当たる確率は同じ100分の1なのです。同じような計算で最後に引く人も、やはり100分の1の確率で当たりになることがわかります。

宝くじを比べてみよう

さて、先ほど、棒を使うくじと玉を使うくじが、あみだくじと同じものであると説明しました。次に、宝くじについて説明しましょう。

宝くじは、番号が印刷されたくじを買っておくと、あら

かじめ決められた日に、抽選で当たりくじの番号が決められて、発表されます。当たりには1等、2等、3等などがあり、1等の賞金が最も多く、2等、3等はしだいに少なくなります。いろいろな種類がありますが、2つの例をあげておきます。

まず、番号が入った抽選券を店で買って、当選番号の発表を待つタイプです（表3－1）。そしてもう1つ、スクラッチ宝くじという、店で券を買ってすぐに当たりハズレがわかるものもあります（表3－2）。

表の数字が必要な情報のすべてですが、必ずしもわかりやすくありません。これらの数値を、いくらの賞金がどれくらいの確率で得られるかを示す、グラフの形にしてみましょう（図3－3）。

金額の範囲が非常に広いので、金額の目盛を対数目盛にしてあります（対数目盛とは、目盛が10倍ずつ増えていく目盛のつけ方のことです。低い方から読むと、賞金金額が10倍刻みになっています）。このようにデータのとる範囲が広いのが、宝くじの確率分布の特徴のひとつと言っていいでしょう。

このグラフでは確率の小さいところの様子がわからないので、当選確率を示す縦軸も対数目盛にしたのが、図3－4です。賞金金額と確率それぞれのなかで「格差」が大きいのが宝くじの特徴です。

このグラフで、2つのくじの共通点と異なる点がわかります。共通しているのは、賞金金額と当選確率が同じような関係を持っていることです。確率と賞金額の積が10～30程度になっています。10と30の違いはそう小さくは見えませんが、確率や金額が100万倍ほどの変化をしているのに比べると、10～30の変動ははるかに小さい変動です。

表 3-1　ジャンボ宝くじ

ドリームジャンボ宝くじ(第718回全国)　　単価300円

等級等	当選金額	当選確率
1等	500,000,000円	0.0000001
1等の前後賞	100,000,000円	0.0000002
1等の組違い賞	100,000円	0.0000099
2等	10,000,000円	0.000001
3等	30,000円	0.0003
4等	3,000円	0.01
5等	300円	0.1
ハズレ	0円	0.8896888

表 3-2　スクラッチ宝くじ

1等が100万円のスクラッチ宝くじ　　単価200円

等級等	当選金額	当選確率
1等	1,000,000円	0.000008
2等	100,000円	0.00008
3等	50,000円	0.00032
4等	1,000円	0.024
5等	200円	0.08
ハズレ	0円	0.895592

「なかなか当たらないけど、当たればうれしい」という点は、スクラッチ宝くじとジャンボ宝くじは似ているということに対応しています。

しかし違いがあります。ジャ

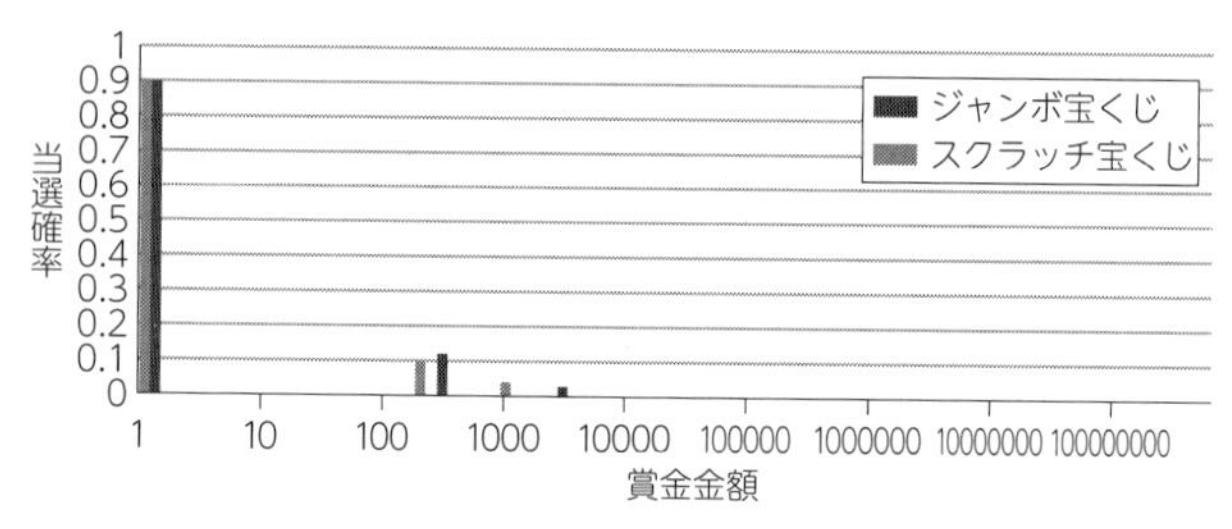

図3-3　ジャンボ宝くじとスクラッチ宝くじ

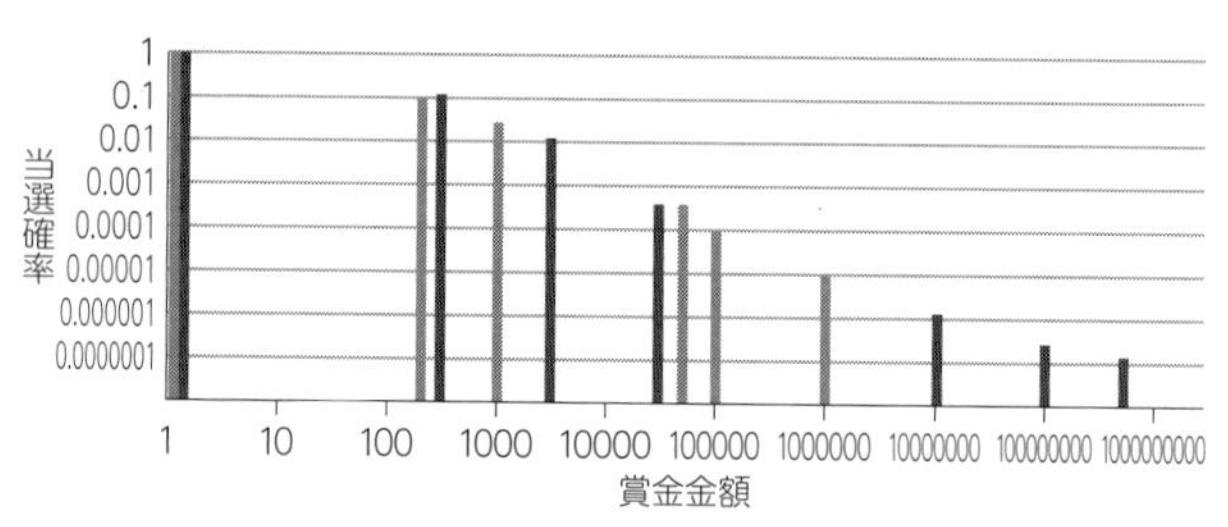

このグラフでは，当選確率の目盛も対数目盛にしてあります

図3-4　両対数目盛による，賞金金額と当選確率の表示

ンボ宝くじのグラフは、確率がより小さいところまで広がっています。この違いを示す指標として、賞金金額の期待値（宝くじに当たった人たちがその当選金額を全部出して、宝くじを買った人たち全員で分け合った場合に、1人がもらえる金額）があります。

賞金金額の期待値は、図3-5の賞金期待値公式「賞金金額×当選確率の和」で計算できます。ジャンボ宝くじとスクラッチ宝くじの数値は、それぞれ約150円と、72円となります。

もうひとつの指標として、そ

$$E = a_1 \times P_1 + a_2 \times P_2 + \cdots + a_m \times P_m$$

この公式にしたがって計算することによって，賞金金額 a_1 が当たる確率が P_1，賞金金額 a_2 が当たる確率が $P_2\cdots$の場合の賞金期待値が計算できます．同じような形のくり返しで構成されている公式です

図 3-5　賞金期待値公式「賞金金額×当選確率の和」

$$S = \sqrt{(a_1 - E)^2 \times P_1 + (a_2 - E)^2 \times P_2 + \cdots + (a_m - E)^2 \times P_m}$$

この公式にしたがって計算すれば，賞金金額の標準偏差が求められます．ルートのなかに期待値の公式(図 3-5)に似たくり返しパターンがあります．ジャンボ宝くじの場合

$$S^2 = (5\text{億円} - 150\text{円})^2 \times \frac{1}{1000\text{万}} + \cdots + (300\text{円} - 150\text{円})^2 \times \frac{1}{10} \fallingdotseq 270\text{億円}$$

となり，$S \fallingdotseq 16$ 万円(≒は，ほぼその値に等しい，の意)です

図 3-6　賞金金額の標準偏差を求める公式

れぞれのくじの賞金金額の標準偏差(データのばらつきの程度を表わす値)も使えます(図3-6)。ジャンボ宝くじとスクラッチ宝くじそれぞれの標準偏差は、16万円と3100円になります。この指標は、期待値からどの程度離れた金額が賞金として得られるかを示しています。

くじのわくわく度のものさし——変動係数

期待値と標準偏差いずれも2つのくじの違いを示す指標として使えそうですが、どちらもく

じや賞金の額から計算される数値です。くじの価格と賞金の額を10倍にしても、くじのわくわく度は変わらないはずです。

標準偏差と期待値の比が、2つのくじのわくわく度を計るものさしとして適当と思われます。ジャンボ宝くじとスクラッチ宝くじそれぞれの標準偏差期待値比(変動係数)は、16万円／150円＝1066と3100円／72円＝43になります。変動係数は、平均的な賞金額に比べて実際に得られる賞金額がどれくらい「運」によって増えたり減ったりするものなのかを示しています。

さて、以上の説明は、くじを1本だけ買ったときの話です。複数枚買うと、どうなるか考えてみましょう。**図3-7**を見てください。宝くじを2枚買ったときの合計賞金額の期待値は$2E$、標準偏差S_{A+B}は$\sqrt{2}$倍になるだけなので、変動係数は1枚だけ買ったときの$1/\sqrt{2}$となります。同じような計算で、m枚の宝くじの合計賞金額の変動係数は$1/\sqrt{m}$となります。

宝くじの賞金の合計額の変動係数が、1枚だけ買ったときの変動係数を枚数の平方根(へいほうこん)で割った値になるのです。ジャンボ宝くじを100枚買ったときの変動係数は1066/10＝107となります。そんなことはあまりしないと思いますが、もしも100万枚買ったとすると、変動係数はほぼ1となります。これは期待値とほぼ等しい賞金を受け取ることになります。

$$S^2_{A+B} = (a_1+b_1-2E)^2 \times P_1 P_1 + (a_1+b_2-2E)^2 \times P_1 P_2 + \cdots$$
$$+ (a_m+b_m-2E)^2 \times P_m P_m$$
$$= (a_1-E)^2 \times P_1 + (a_2-E)^2 \times P_2 + \cdots + (a_m-E)^2 \times P_m$$
$$+ (b_1-E)^2 \times P_1 + (b_2-E)^2 \times P_2 + \cdots + (b_m-E)^2 \times P_m$$
$$= S^2 + S^2 = 2S^2$$
$$\frac{S_{A+B}}{2E} = \frac{\sqrt{S^2_{A+B}}}{2E} = \frac{\sqrt{2}S}{2E} = \frac{1}{\sqrt{2}} \frac{S}{E}$$

図 3-7　宝くじを 2 枚買ったときの，賞金額の変動係数の計算

「くじを引くのは好きかい?」私はユウに聞きました。

「好きだよ」

「どうして?」

「だってわくわくするもの」


３００円で売られているジャンボ宝くじの賞金額の期待値が約１５０円、２００円で売られているスクラッチ宝くじの期待値が72円ということは、宝くじを買う人が投資のつもりでくじを買っているのではないことを意味していると思われます。

ふつう、人がお金を払うのは、何かを手に入れるためです。宝くじを買う人が何を手に入れようとしてくじを買うのか、人それぞれでしょうが、ユウが

くじを好きな理由はひとつの説明になっていると思われます。

最後になりますが、宝くじを売ることが許されているのは、地方自治体だけです。宝くじの売り上げの約半分は、地方自治体の事業の資金として使われます。

問題コーナー

だれか1人がやればいいことをだれがするかとか、分けられないものをだれがもらうか決めるときに、くじと順番制はどちらも公平な方法です。この2つのやり方それぞれについて、長所と欠点を少なくとも1つずつあげてください。

【解答例】 順番にやる方法は、記録を残しておいてそれを調べるという手間がかかりますが、何回も人を選ぶような場合には、よい方法です。

くじは、記録が不必要なのが便利です。また、1回しか選べない場合にも使えるのは長所です。ただ、くじには同じ人が続けて当たるような不公平が起きる可能性もあるのが欠点です。

統計学的には

データがどんな出方をするかを伝える数値として**期待値**と**標準偏差**が便利です。データの分布が**正規分布**に近い形をしているなら、この2つの数値を見てデータの分布のグラフのおおよその形が描けます。

しかしくじの賞金額の分布は正規分布からほど遠い分布なので、期待値と標準偏差を知っても**図3-3**や**図3-4**が示すような分布の姿を思い描くことは難しいです。

期待値と標準偏差そのままでは、くじの性質の違いをうまく表わすことはできません。しかし、標準偏差を期待値で割って**変動係数**にすると、くじの違いが一目でわかる便利な数値になるのです。

じつは、**図3-3**と**図3-4**には「ごまかし」があります。ハズレくじの賞金額は0ですが、対数目盛には0という場所がありません。グラフを描くためにハズレくじでも賞金が1円もらえるとしてグラフを描きました。

第4話

決定力ってなんだ？――目的変数（もくてきへんすう）・説明変数（せつめいへんすう）

「わっ!!」ユウが叫びました。

ユウはテレビにかじりついてサッカーの試合を見ていたのです。

「すっごいシュートだった」

「入ったかい？」

「キーパーにはじかれた。先取点とりそこねた」

サッカーにかぎらず、いろいろなスポーツで、「先取点をとることが大切」と言われているのを聞いたことがあるでしょう。本当にそうなのか、実際のデータを見て考えてみましょう。

サッカーのルール

まず簡単に、サッカーのルールを説明しましょう。サッカーは、両端にゴールを備えた長方形のフィールドで行われます。敵のゴールにボールが入ると1点得点。前半後半45分ずつの試合時間で得点の多かった方が勝ちです。

1チームの選手は11人、ゴールを守るゴールキーパー以外の10人は手を使うことが許されません。味方に向かってボールを蹴(け)るのを「パス」、ゴールに向かって蹴るのを「シュート」、キーパーが止めなければ確実にゴールに入ってしまうシュートを「枠内シュート」と言います。

ゴールの近くで守る側の選手が反則をすると、キーパーだけが守っているゴールの前にボールを置いてシュートをする「ペナルティーキック」が行われます。相手を蹴るなど危険なプレーをした選手は退場させられ、チームの人数が減ります。このとき、審判が見せるのが「レッドカード」です。

ワールドカップ

4年にいちど開催される、ワールドカップについても簡単に説明しておきましょう。ここに出場できるのは、地域予選を勝ち抜いた32チームです。32チームを4チームずつに分けた8組それぞれでリーグ戦を行い、各組の成績上位2チームが決勝トーナメントを行って優勝を決めます。試合数はリーグ戦が48、3位決定戦を含めてトーナメントで16、合計64試合が行われます。

表 4-1　先取点効果

	負け	引き分け	勝ち	合計
1 点先取のチーム	2	9	46	57
それ以外のチーム	46	23	2	71

先取点と勝ち負け

さて、**表4-1**は、2010年に南アフリカで行われたワールドカップで先取点をとったチームとそれ以外のチームが、どう試合を終えたかを調べた結果です。

数字を全部合計すると57＋71で、128になります。1次リーグから決勝トーナメントまであわせて全64試合。試合は2チームの対戦ですから、延べ128チーム分の結果があります。先に点をとったチームが57しかないのは、どちらも点をとれなかった試合が7試合あったからです（決勝トーナメントでは、引き分けの場合、ペナルティーキック戦で勝敗を決めます）。1点先取した57チームが勝った割合が57分の46＝81％なのに対して、「それ以外のチーム」

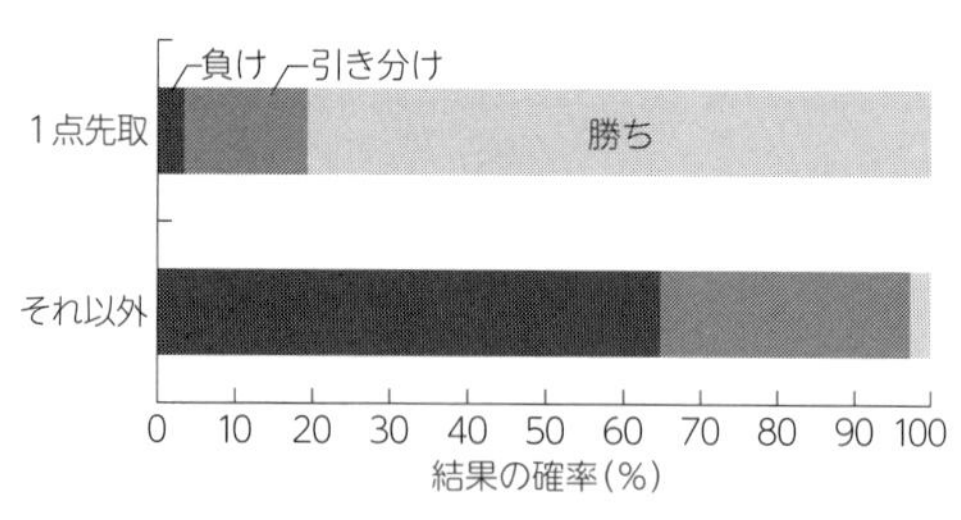

1点先取した試合(上)と相手に先取点をとられた試合(下)それぞれがどういう結果で終わったかの頻度を調べた結果です．決勝トーナメントでは，同点で終わった場合はペナルティーキック戦で勝敗を決めますが，この図ではこのような試合は引き分けとしています

図4-1　先取点と「勝ち負け」の関係

が勝った割合は71分の2＝3％です。

これをグラフにすると、**図4-1**のようになります。この図を見ると、たしかに1点先取した方が、勝つ確率は高いようです。

しかし、たとえば、試合開始後15分目に先取点がとれたとしたら、それからあとは1点のハンデをもらって75分の試合をするようなもので、残りの75分が互角の戦いでも、ハンデをもらっている方が勝つ確率が高いのはあたりまえ、と考えることもできます。

次に、先取点のあとの戦いが、互角の戦いになっているかどうかを見てみましょう。**図4-2**は、1点先取したチームがゲーム終了時に相手に何点差をつけていたかを示すグラフです。

先取点をとった直後に**図4-2**と同じようにグラフを描くと、横軸の1の位置に高さ57の柱が1本だけ立っているグラフになります。それが試合が進むにつれて崩れて、最後に図

4-2になったわけです。1点増えて2点差で勝ったチーム数と、1点取り返されて結局同点で終わったチームの数が同じです。

それに比べて、先取点のあとの試合展開で相手に2点とられて逆転されたチームと、さらに2点を追加して3点差で勝ったチームの数では、点差を広げたチームの方が多くなっています。逆転されて2点差で負けたチームが皆無なのに対して最終的に7点差で勝ったチームがあります。どうやら先取点が出たあとのゲームは、互角の戦いになっていないようです。これが「先取点をとることが大切」の正体かもしれません。

念のために2014年のワールドカップと2015年の女子ワールドカップのデータでも同じ解析をしてみました。図は省略しますが先取点をとったチームの方がその後の戦いを有利に進めているという、同様な結果が出ています。

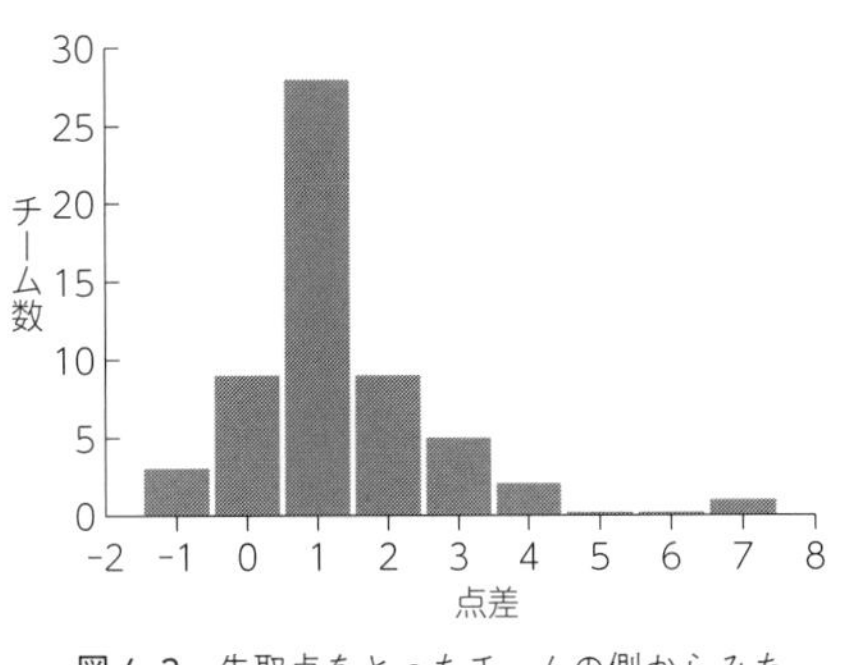

図4-2　先取点をとったチームの側からみた最終点差分布

2つの仮説

この事実を説明する考え方が2つあります。ひとつ目は、たまたま先取点をとった方が勢いづいて有利な戦いを進めることになるのだという考え方です。これを「勢いづき仮説」ということにしましょう。

もうひとつは、もともと強い方のチームが先取点をとる確率が高いのだという考え方です。これを「もともと仮説」とよぶことにします。

勢いづき仮説と、もともと仮説のどちらが正しいのか、あるいは、両方とも正しいのか、**表4-1**のデータだけで決めることはできません。**表4-1**のデータと別に「チームの強さ」を計るデータがあればなんとかなるかもしれません。

いずれにせよ、先取点をとったチームが大負けする可能性は小さいと言っていいようです。しかし**図4-2**は、先取点をとっても負けたチームがあることを示しているし、2014年のワールドカップ1次リーグのスペイン・オランダ戦では、スペインが前半27分にペナルティーキックで1点先行したのに、その後5点とられて負けたという例もあるので、先取点をとったからと言って安心はできないようです。

私はこんなことをユウに説明しました。

「先取点をとれるのがいいことなのは、たしかだよ」

「先取点とるのがいいのは、わかった。とられちゃったときはどうすればいいの？」

「調べてみないとわからないよ」

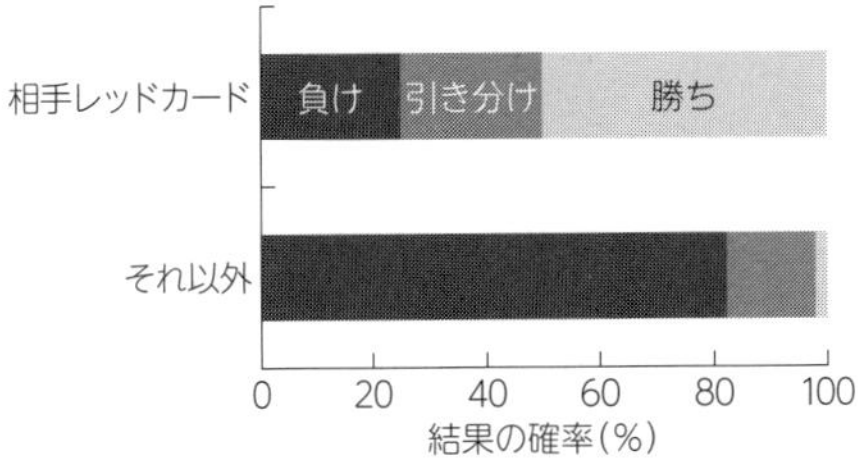

図 4-3　先取点をとられた時のレッドカードと「勝ち負け」の関係

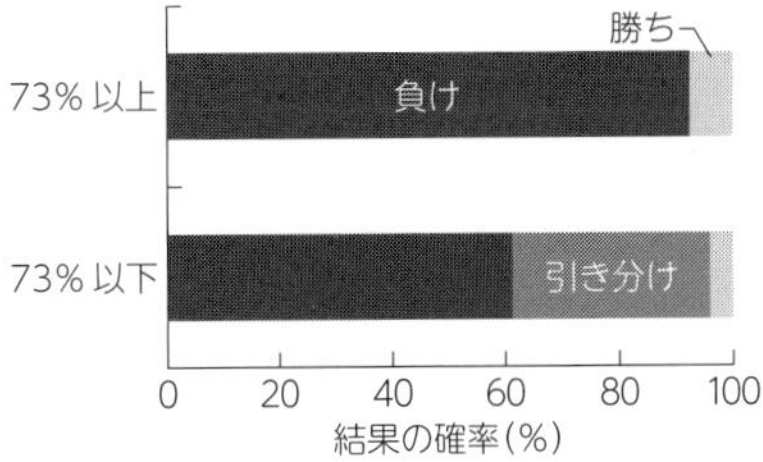

図 4-4　先取点をとられた時の相手パス成功率と「勝ち負け」の関係

「調べてよ」

先取点をとられてしまったら

私は2010年の南アフリカ大会で相手に先取点をとられたチームのデータを調べました。そうしたら、レッドカードに関する**図4-3**のような、データが見つかりました。

相手に先取点をとられても、

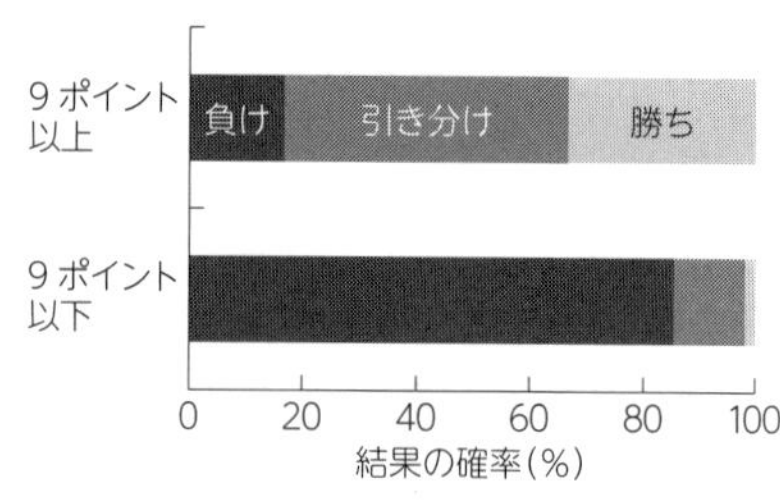

図4-5　先取点をとられた時の枠内シュート率の差と「勝ち負け」の関係

その相手が反則をして選手が退場させられると、最終的に勝つ確率が半分になるというのです。

「どうだい」と私がこの図を見せると、ユウは「ふうん」と言いました。

「敵が退場させられるのを待ってるの？」

次に私は、**図4-4**の「相手パス成功率」のグラフを見せました。相手のパス成功率を73%以下におさえれば、1点を取り返して同点にするチャンスが増えるのです。

「なるほど。相手パス妨害作戦だね」

「もっといいのがある」

やはり決定力？

枠内シュート率の差

$$= \frac{\text{自分のチームの枠内シュート数}}{\text{自分のチームのシュート数}} - \frac{\text{相手のチームの枠内シュート数}}{\text{相手のチームのシュート数}}$$

図 4-6　枠内シュート率の差の定義

私は最後に、図4-5の「枠内シュート作戦」のグラフを見せました。

これはちょっと、こみ入っています。ワールドカップの試合ごとの結果のデータのなかに、各チームのシュート数と枠内シュート数があります。その試合中、あるチームが打ったシュートの数とそのうちでゴール枠に飛んでいったものの数です。相手のチームのデータもあわせた4つの数字から図4-6に示した式で計算されるのが「枠内シュート率の差」です。

図4-5は枠内シュート率の差を9ポイント（「統計学的には」参照）以上に保つことができれば1点先取された側に逆転のチャンスがあることを示しています。

「つまり、ちゃんとゴールに向かって飛んでいくシュートの割合が、相手より高ければいいっていうことさ」と私は言いました。

「やっぱ『決定力』か」ユウはため息をつきました。

「そういうことだね」
「でもさ、どうやってワクナイシュートリツノサ、なんて変なものを見つけたのさ?」
「よくぞ、聞いてくださった」私は次の表を見せました(表4-2)。

モデル探索

表4-2　モデル探索結果

AIC	説明変数
−8.95	枠内シュート率の差
−8.62	相手パス数
−8.52	相手パス成功率
−6.67	枠内シュート率
−5.88	相手ドリブル回数
−4.97	相手枠内シュート率
−4.97	レッドカード差
−4.97	相手レッドカード
−4.87	相手反則数
−4.51	相手タックル成功率

この表は、ワールドカップのデータから先取点をとられたチームのデータだけを抜き出して、そのチームの勝ち負けに影響している要因の効き方を調べた結果です。試合ごとに生データとして、対戦チーム名、各チームの得点、走行距離、パスの総数、成功したパスの数、反則の数、シュート数、枠内シュート数などが記録されています。

これらのなかから勝ち負けの出方を最もよく説明する要因10個をとりだしたのです。表の左列にあるＡＩＣ(Akaike Information Criterion、「赤池情報量規準」と呼ばれる指標の頭文字です)という数値が小さいほど勝ち負けとの関係が強い要因です。

図4-5は「枠内シュート率の差」という要因が勝ち負けとどう関係しているかを示して

います。図4-4がAIC=マイナス8・52の「相手パス成功率」と勝ち負けの関係を示しています。図4-3がAIC=マイナス4・97の「相手レッドカード」に対応しているのは、もうおわかりでしょう。

「枠内シュート率の差」は相手に点先行された場合にだけ有効なわけでなく、2010年ワールドカップの全データを使った解析でも有効です（図4-7と表4-3）。

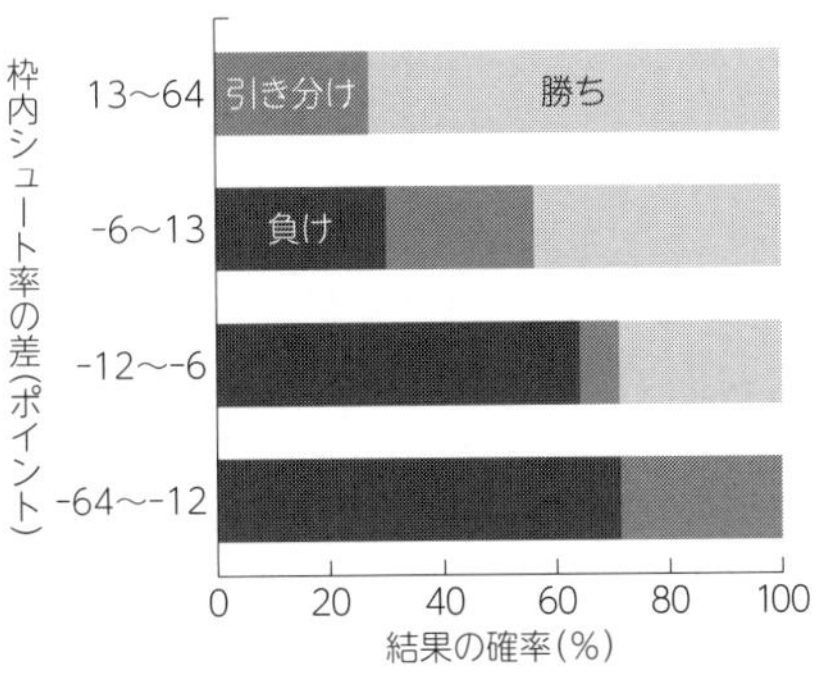

相手チームより枠内シュート率が13ポイント以上高ければ勝つ確率が75% 程度となる．相手の枠内シュート率より6ポイント以上低くなると負けで終わる確率が高くなる

図4-7　枠内シュート率の差と「勝ち負け」の関係(全試合データの場合)

先取点が入る時間帯の分布

最後に、先取点がいつ入るものなのか見ておきましょう。

図4-8は、2010年の南アフリカ大会で先取点が試合開始後何分で入ったのかをまとめたものです。全64試合のうち31試合で開始後30分以内に点が入っています。どちらのチームも点をとれずに終わり、得

表 4-3　2010 年ワールドカップの全データを使った解析

AIC	説明変数	AIC	説明変数
−89.00	先取点	−6.60	ドリブル回数差
−68.41	前半得点差	−4.38	反則数差
−55.67	枠内シュート率の差	−2.92	パス成功率差
−42.78	枠内シュート数の差	−2.64	パス数
−37.72	枠内シュート率	−1.73	タックル成功率
−35.01	枠内シュート数	−1.66	走行距離
−22.89	前半得点	−1.60	タックル成功率差
−17.45	レッドカード差	−1.41	成功タックル数
−17.04	ドリブル回数	−1.18	イエローカード
−14.66	シュート数差	−0.41	オフサイド数
−13.96	反則数	0.12	コーナーキック数
−13.41	成功パス数差	2.96	失敗タックル数
−11.83	パス成功率	3.15	コーナーキック数差
−10.81	成功タックル数差	3.67	スパート回数
−10.57	レッドカード	3.67	オフサイド数差
−9.64	走行距離差	3.67	イエローカード差
−8.54	パス数差	3.67	失敗タックル数差
−8.22	シュート数	3.67	総タックル数差
−7.83	ポゼッション	3.89	総タックル数
−7.08	成功パス数		

点がまったくなかった試合が7試合ありました。

全試合の2分の1で30分以内に先取点が発生するものとすると、次の30分で残った2分の1の2分の1、つまり全試合の4分の1で先取点が発生し、その次の30分で全試合の8分の1で先取点が発生します。こう考えると、試合開始後90分以内で全試合の8分の7で先取点が発生。全試合の8分の1は得点なしで終わる計算になります。

同じ分析を2014年ワールドカップ、2015年女子ワールドカップでした場合も、同様な結果が出ています。ワールドカップ64試合の8分の1は8

試合ですから、南アフリカの大会で7試合が得点なしで終わったのは「理論通り」と言えます。おもしろいでしょ。

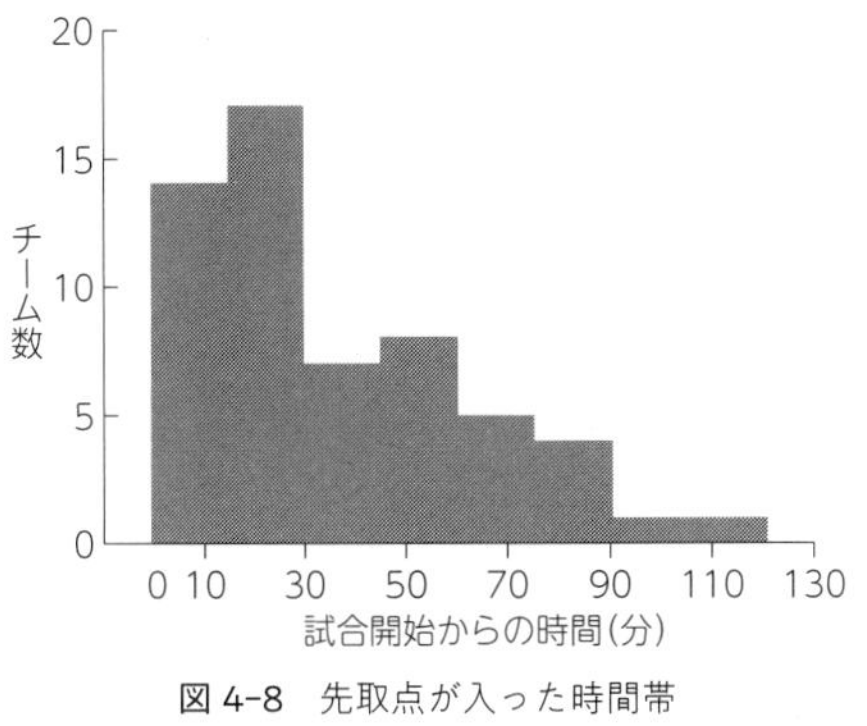

図 4-8　先取点が入った時間帯

問題コーナー

表4-3を見ると、「枠内シュート率の差」より、「先取点」の方がより強く勝ち負けに関係しているのがわかります。「枠内シュート率の差」と「先取点」、それぞれの特徴を説明してください。

【解答例】　「枠内シュート率」を上げることに目標をしぼった練習を考えることが可能なのに対して、「先取点をとる」ことに目標をしぼった練習は考えることができない、という大きな違いがあります。先取点は結果として得られるものであって、それを目標とするのは無理だということです。同様に、レッドカードで退場させるようにすることを目指して練習するわけにもいきません。

統計学的には

サッカーのワールドカップのデータの統計的な分析によって、試合に勝つためには「枠内シュート率の差」を広げることが有効だとわかりました。これはシュートの正確性を増す練習が役に立つことを意味しています。このように、統計的な分析によって、目的を実現するためにどういう手段がいいかわかります。

統計学では、**確率分布**を調べたい変数を**目的変数**といい、目的変数の分布と関係がありそうな変数を**説明変数**、説明変数と目的変数がどういう関係にあるかを示す数式を**統計モデル**といいます。この章では勝ち、負け、引き分けという3つの値をとる「試合の結果」という目的変数と強い関係をもつ説明変数を含む統計モデルを探したのです。AICという統計量で、説明変数と目的変数の関係の深さが計れるのです。

2つのことの間に関係が見つかっても、それが原因と結果の関係(**因果関係**)にあるとはかぎりません。たとえば、私とユウはたいてい一緒に夕食を食べているので、ユウがお腹いっぱいになることと、私がお腹いっぱいになることに強い関係がありますが、私が食べたという原因でユウのお腹がいっぱいになるという結果が出るわけではありません。しかし、「ワクナイシュートリツノサ」が大きいことと勝ち負けの間には原因と結果の関係があると考えられます。

なお、統計的な分析では、確率の値の変化や違いを見ることが大切です。たとえば「枠内シュート率」がチームAでは70％、チームBでは60％だったとして、チームBの枠内シュート率は10％低いと書くと、70％の1割の7％低い63％だと受け取られかねません。そういう誤解をさけるために、「10**ポイント**低い」という言い方をする習慣があるのです。

第5話
降水確率って、どうやって計算するの？——統計モデル

さっきまで熱心にテレビの気象情報を見ていたユウに聞かれました。

「雨だとか晴れだとか言ってくれる方がわかりやすいのに、なんで確率なんて使うの？」

「気象予報士だって、晴れとか雨とかはっきりわかっていればそう言うさ。よくわからないから、確率で言うんだよ」

「くじでね」

「そう。よく覚えてたね」

「そのくじどうやって作るの？　確率どうやって計算するの？　スパコン使うの？」

「あわてちゃいけない。天気図って知ってるかい？」

天気図を描くのにスパコンが使われている

気象予報士に聞く方がいいかもしれませんが、私が知っていることをお話ししましょう。

みなさんも天気図は見たことがありますね。高気圧や低気圧がどこにあって、風がどう吹いているかを描いた、地図のようなものです。テレビの気象情報などの番組で、天気図の前で気象予報士が説明しているのを見たことがあるでしょう。これはスーパーコンピュータ（スパコン）を使った「数値予測」の結果を表示しているのです。

数値予測とは

数値予測でどんなことをやっているかを理解してもらうには、まず巨大なジャングルジムを想像してもらう必要があります。**図5-1**は、そのジャングルジムを上から見たところです（数値予測で使う本物のジャングルジムは、縦の柱が20キロメートルおきに立っていて、高さが100段もあるため、その通りに描くのは大変なのでかなり省略して描きました）。想像力を働かせて、日本全体をおおう巨大なジャングルジムを考えてください。一番上は成層圏にありますから、上まで登って見下ろすには、ずいぶんと勇気がいるでしょう。

この巨大ジャングルジムの縦の棒と横の棒の交点のところの気圧、気温、風向、風速、湿度などを計算で求めるのが、数値予測です。

気象現象というのは、地球上で空気や水分や熱があっちに行ったりこっちに来たりすることにほかなりません。ある時刻、たとえば9月30日の午後10時にあるところにあった水分や熱が、10分後の10時10分過ぎに、とんでもない遠くに行ってしまうことはありません。近くに移動するだけです。この移動が続いたときにどうなるか、それが計算できるのです。

みなさんが持っている一般的なパソコンでこの計算をしようとしたらものすごく時間がかかるので、すぐ先の天気を短時間で予測することができませんが、スーパーコンピュータを使えばできます。

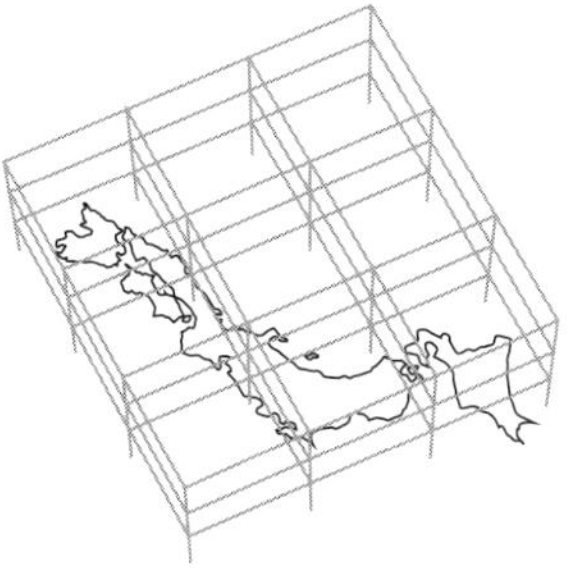

気象は気温や気圧や湿度や風速の値という形で観測されます．これらの値を推定する位置を結ぶ線が見えたとすると，日本全体をおおう巨大なジャングルジムのように見えるはずです

図 5-1　巨大なジャングルジム

気象庁では毎日毎日、翌日、翌々日の気象の数値予測をして、それに基づいて天気図を描いているのです。

「すごいね」ユウは巨大ジャングルジムが見えるかのように、空を見上げながら言いました。「そして降水確率が計算できるんだ」

「そう言いたいとこだけど、降水確率は計算じゃ出てこない」

「さっき水分の移動が計算できるって言わなかった？」

「水蒸気も水滴も氷の粒も水分で、水分が水滴か氷の粒（雪）になって落ちてくるかどうかは計算できない。アメダスデータを利用するんだよ」

「アメダスデータ？」

アメダスデータとは？

気象庁は、気圧、気温、風向などを観測していますが、そのほかに「降水」も観測しています。降水を観測するアメダスという装置があります。日本中あちこちに置かれていて、置かれた場所の気温とか降水量を時々刻々と測り、気象庁にデータとして送ってくる装置です。このデータから、次に述べるようなやり方で降水確率が求められます。

ある地域に10個のアメダスがあったとします。それらのアメダスの降水の記録を調べると、それぞれのアメダスの位置で雨が降った日と降らなかった日がわかります。この記録から「降った」日を1、「降らなかった」日を0に直した表を作ると**表5-1**のようになります。

この表の合計欄を見てください。1行目の「ある日①」の行の右端の合計が5になってい

表 5-1　アメダスの記録

	アメダス										行合計
	1	2	3	4	5	6	7	8	9	10	
ある日①	1	0	1	1	0	0	1	0	0	1	5
ある日②	0	0	0	0	0	0	0	0	0	0	0
ある日③	1	1	1	1	1	1	1	1	1	1	10
ある日④	0	0	0	0	0	1	1	0	1	1	4
ある日⑤	0	0	0	0	0	0	0	0	0	0	0
ある日⑥	1	1	1	1	1	0	1	1	1	1	9
ある日⑦	0	0	1	1	1	1	1	1	1	1	8
ある日⑧	0	0	0	0	0	0	0	0	0	0	0
ある日⑨	1	1	1	1	1	1	1	1	1	1	10
ある日⑩	0	0	0	0	0	0	0	0	0	0	0
ある日⑪	1	1	1	0	1	0	1	0	1	0	6
ある日⑫	1	1	1	0	0	1	0	1	1	1	7
ある日⑬	1	1	1	1	1	1	1	1	1	1	10
列合計	7	6	8	6	6	6	8	6	8	8	69

ます。この日、10個のアメダスのうち5個が降水を観測したということがわかります。

この右端の行合計の数を見ていくと、それぞれの日に何個のアメダスで降水が観測されたかわかります。この列の一番下が毎日の合計の合計で、表に含まれている日全体の延べ降水観測回数69になっています。

この表には13日分の観測が含まれていて、延べ観測回数は１３０。そのなかで延べ69回降水が観測されているのです。表の0の上に白、1の上に黒の碁石を置いて、それをまとめて袋に入れてかき混ぜれば、くじができます。

「こんなふうに実際のデータを使って、その『くじ』を作るんだよ。そのなかに入っている黒玉の割合が降水確率だ。ただ、53％と言ってもわかりにくいから、気象情報の発表のときは10％単位で丸めて50％って言うのさ。わかっただろ?」

「わかんない」

「だって簡単な計算だよ。69割る130なんて、難しくないじゃないか」

「そこじゃないよ。わかんないのは、ジャングルジムの話がどこに行っちゃったのかっていうこと」

統計モデルが天気図と降水確率を結び付ける

そうでした。大事なことを説明するのを忘れていました。**表5-1**のような形でデータを集めれば、降水確率を計算するのは簡単なのですが、なんでもかんでもデータを集めて表にすればいいというわけにはいかないのです。

表5-1の0の上に白、1の上に黒の碁石を置いて作ったくじは「ある日①」から「ある日⑬」までのあいだの平均降水確率を表わすものになります。どんな日のデータを集めればいいか決める方法が必要です。東京で真冬に降水確率を推定するのに、梅雨のさなかのデータは使い物になりません。表に含めるデータは注意して集める必要があります。

その一方で、数値予測という計算機シミュレーションでは、空気の湿度が１００％になって小さな水滴ができるところまでは計算できて、天気図を描くところまではできますが、その小さな水の粒がぶつかりあって大きく重くなり、落ちてくるところまで丁寧にシミュレートをすることはできません。計算機シミュレーションだけでは、天気図は描けても降水確率予報はできないのです。

まずジャングルジムの格子点で毎日の気象データがどんな値になるか計算して天気図を作って、その天気図を何年分もためます。天気図がたまったら「似た」天気図のときのアメダスデータを集計することによってそういう日の降水確率を計算します。そして、このようにして計算した確率と数値予測の関係を表わす式を作ります。この式ができてしまえば、数値予測結果からすぐに降水確率が求められるようになります。

「わかったかい？」私はもう一度聞きました。

「だいたいわかった」

ユウにはこんなふうに説明しましたが、読者の皆さんにはもう少し詳しくお話ししましょう。

東京の降水確率10%ってどういう意味？

降水確率は、たとえば「今日の午後の東京都の降水確率は10%」などという言い方で発表されます。この予報は「東京都のどこかにじっと立っている人が午後に降水にあう確率が10%」ということです。「東京都のどこかに午後中に降水がある確率が10%」ではないことに注意してください。

この違いは「私が買った宝くじが当たる確率」と「だれかが買った宝くじが当たる確率」の違いと似ています。「私が買った宝くじが一等に当たる確率」はゼロに近いですが、「だれかが買った宝くじが一等に当たる確率」は、宝くじが売り切れていたら100%です。

夕立の予報は難しい

ところで、「降水確率が50%」といってもいろいろな場合があります。たとえば「東京の明日午前の天気」というように降水確率は地域と時間を決めて発表されますが、その地域の半分に降水があるのは確実でも、その半分がどこにあるのかがわからない場合の降水確率は

50％になりますが、降るとしたら地域全域だけど、そもそも降るか降らないか五分五分の場合にも降水確率としては同じ50％です。

夏の暑い日の午後、積乱雲（せきらんうん）が発達して降らせる夕立は、せまい地域に大雨を降らせます。たとえば東京都のどこかに夕立がありそうなことは数値予測できても、その場所がどこになるかを見やぶるのは、いまのところ難しいのです。それができるようになったら、たとえば、「今日の午後の立川市の降水確率は90％、立川市以外の東京都の降水確率は０％」といったピンポイント予報が出せるようになります。

台風予報円も確率予報

天気予報では、降水確率以外にも確率が使われているものがあります。台風の予報円です。図5-2のような図をご覧になったことがあると思います。これは２０１４年の台風19号の10月12日21時の位置とその時点における進路予測の図です。

台風の位置から東北に向かうおうぎ形のなかに、点線で描かれた円が３つ描かれています。そして３つの円に13日９時、13日21時、14日21時という時刻がつけられています。この３つの円はそれぞれの時刻に台風19号の中心が円内にある確率が70％になる大きさに決められて

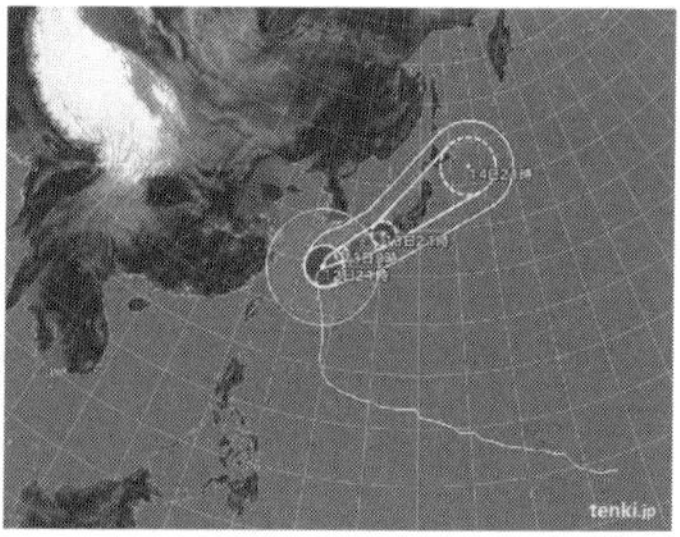

2014年10月12日21時までに台風19号の中心がたどってきたコース(台風19号の過去)とその時点における予想進路(未来).［日本気象協会のWEBサイトより引用］

図5-2　台風のコースと予報円

います。

13日21時には淡路島あたりを中心とする円のなかに台風の中心があると予報されているのがわかります。3つの予報円が、時刻が先に進むにつれて大きくなっていることが、先のことほどよくわからないということを表わしています。

台風が発生すると、このような形の予報が、3時間ごとに発表されます。インターネットで気象情報を見ると、台風の現在位置だけでなく、3時間後、6時間後、9時間後、12時間後、15時間後、18時間後、21時間後、24時間後、48時間後、72時間後の予報円の中心と半径が発表されます。つまり、10月14日3時の台風の位置の予報円は11日の3時にまず発表され、それに続いて12日の3時、13日の3時、6時、9時、12時、15時、18時、21時に発表され、14日の0時に最後の予報円が発表されます。

この間新しい観測値が加わることで予報円はしだいに小さくなりますが、中心位置がずれてくることも少なくありません。その様子を見ようとして描いたのが次の**図5-3**です。図

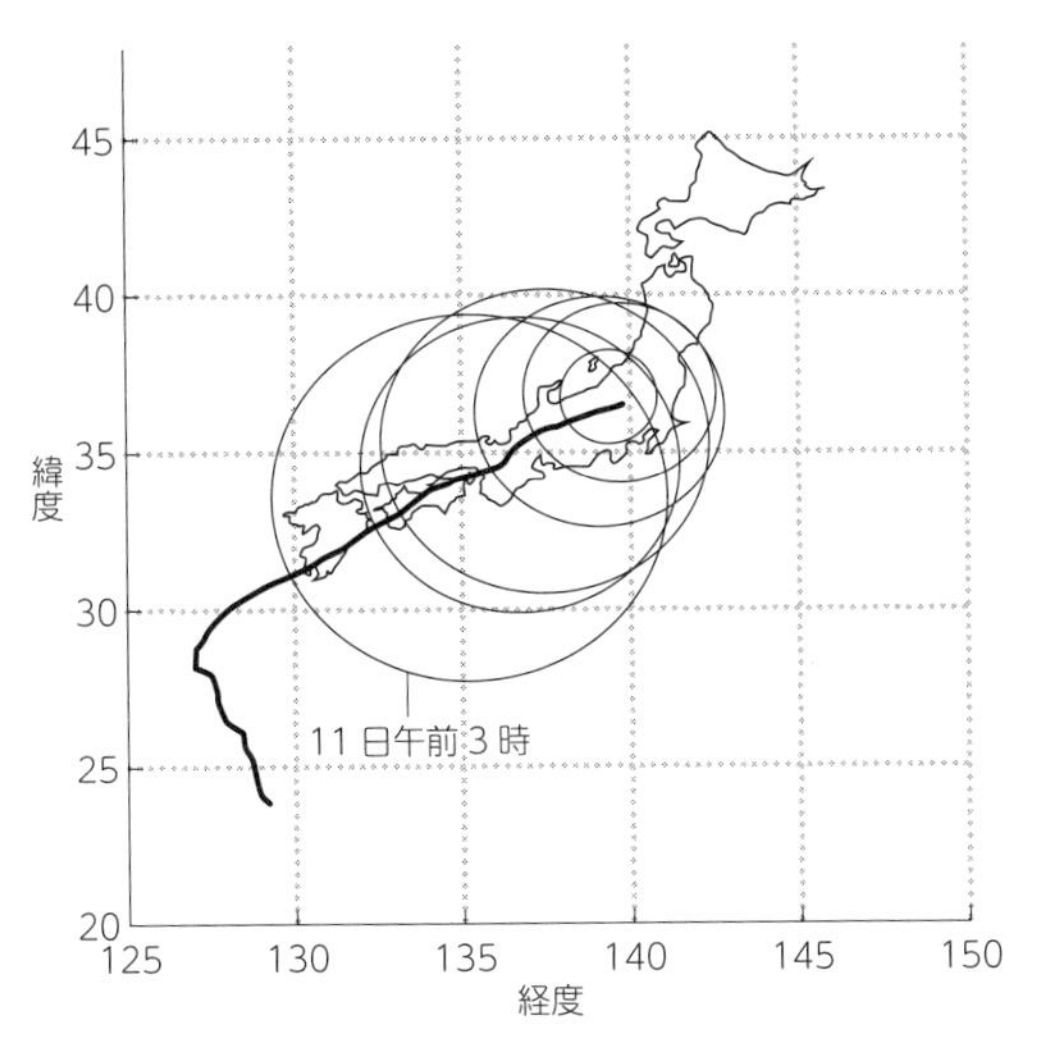

太線は11日午前3時から14日午前3時の間に台風19号の中心がたどったコース．円は，その間に最新情報にもとづいて何度も訂正された14日午前3時の中心位置予報円です．どの予報円がどの時点で発表されたものか書いてありませんが，半径が大きい予報円が初期の段階のもの，14日午前3時に近づくにしたがって半径が小さくなっています

図5-3　予報円の変化

の太い線は11日午前3時から14日午前3時の間に台風19号の中心がたどった道筋、たくさんの円の重なりがその間に発表された14日午前3時の予報円を描いたものです。

円の重なりが込んでいて見づらいですが、最大の予報円の中心が大阪湾あたりにあるのに対して、小さい14日近くの予報円の中心がずっと東の長野あたりにあるのがわかります。これは台風19号が

表 5-2　カテゴリー予報と確率予報

曜日	月	火	水	木	金	土	日
天気	晴れのちくもり	晴れのちくもり	くもり一時雨	くもり一時雨	くもり	晴れのちくもり	晴れ
降水確率	10%	40%	50%	60%	40%	40%	20%

11日の時点で予想した幅のなかでは早めの速度で進んでいったことを示しています。しかし結局は11日に描いた予報円のぎりぎり内側に収まっているので、速度は早めだったけれど「想定内」だったと言うべきでしょう。

注目すべきは、11日から12日にかけて台風が右に急カーブを切っているのが軌跡（きせき）からわかりますが、この進路変更が11日の段階ですでに予測されていたことです。昔の人がこれを見たら超能力と思うのではないでしょうか。スパコンのプログラムを作った人はすごいですね。

天気予報の当たりとはずれ

テレビなどの気象情報の番組の画面で、日本地図の上の各地方の位置におひさまマークや傘のマークで翌日の天気が晴れだとか雨だとか予報するやり方も使われています。ユウのようにこの方がわかりやすいと感じる人も多いでしょう。

気象情報を見ると、たとえばある地方のある週の天気について表5-2のような予報が出されていることがあります。降水確率のほかに「晴れ」

とか「くもり」とか「くもり一時雨」などの「天気」も予報されています。降水確率は数値による予報ですが、「天気」はその日の天気の「種類」を言っています。この形の予報を「カテゴリー予報」と言います。

この表では日曜日のカテゴリー予報は「晴れ」で、降水確率は20%です。変な感じがしますが、「カテゴリー」というのは大ざっぱにだいたいのところを言うので、こんなことはよくあります。

晴れという予報だったのに、実際は雨が降ったようなときに「天気予報がはずれた」といいますが、降水確率20%という予報は日曜日に雨が降ったとしても降らなかったとしてもはずれたということにはなりません。しかし、確率予報に当たりはずれがないということではありません。データを長期に渡ってためたとき、20%予報の日の50%で雨が降っていたというようなことがわかったとしたら、それは確率予報のはずれなのです。

問題コーナー

……ある日の都内各地点での降水確率が１００%と予報され、実際に都内すべてのところで

5ミリ以上の雨が降りました。その日、1日中私は外にいたのですが雨にも雪にも霙(みぞれ)にもあいませんでした。なぜでしょう?

【解答例】 たとえば、「私」が立川にいるときに品川区に雨が降り、品川に移動したあとで立川に雨が降ったようなときにそうなります。

統計学的には

降水確率推定の問題も、降水の有無という**目的変数**(もくてきへんすう)と、数値予測の結果という**説明変数**(せつめいへんすう)を結ぶ**統計モデル**を使って解く問題です。統計学の目で見ると降水確率の問題とサッカーの問題はよく似ているのです。台風の中心の位置を目的変数とする統計モデルを作ることによって台風予報円が描けるようになります。

第6話 サイコロの秘密――乱数

「じい、すごろくしようよ」
「すごろくかい？」

ユウはすごろくが大好きです。ふりだしからサイコロの目にしたがってコマを進めて、早くあがった方が勝ちという、あのすごろくです。途中に「ここに止まったら1回休み」とか「ふりだしに戻る」というところがあるのが多くて、私のコマが「ふりだしに戻る」に止まったりすると、ユウはきゃっきゃと笑って喜びます。

私も子どものときはすごろくが大好きでした。自分でも作ったことがあります。でも、大人になって、すごろくは少し退屈に思うようになりました。それで、私はユウとすごろくをするかわりに、サイコロの話をしてやることにしました。

サイコロシミュレータ

サイコロを転がしたときの目の出方は、でたらめです。でたらめもでたらめ、まったく予想ができないことになっています。「正しいサイコロでは、6つのどの目も同じ確率で出る」と信じられています。でも、これは本当でしょうか？　私は確かめてみることにしました。

しかし「正しいサイコロ」をどうやって手に入れたらいいでしょう？　売っているものを買ってきて重心を調べたり、どこかの辺が1000分の1ミリ短かったりするのを測って見つけるのは不可能でしょう。

そこで私は「正しいサイコロ」のシミュレータを作ることにしました。コンピュータを使えば、完璧な立方体がどう動くか計算できます。ある高さから落とした立方体がいつ床にあたるのか、床にあたったときにどんなふうにはね返るのか、どんなふうに転がるのかなど、すべて計算できます。

その計算をするプログラムを作って、計算結果が図示されるようにしました。図6-1はこのプログラムで描いた「完璧な立方体」が跳ねて転がる様子です。このプログラムで作った動画を見ると、サイコロがどんなふうに転がるのかよくわかります。

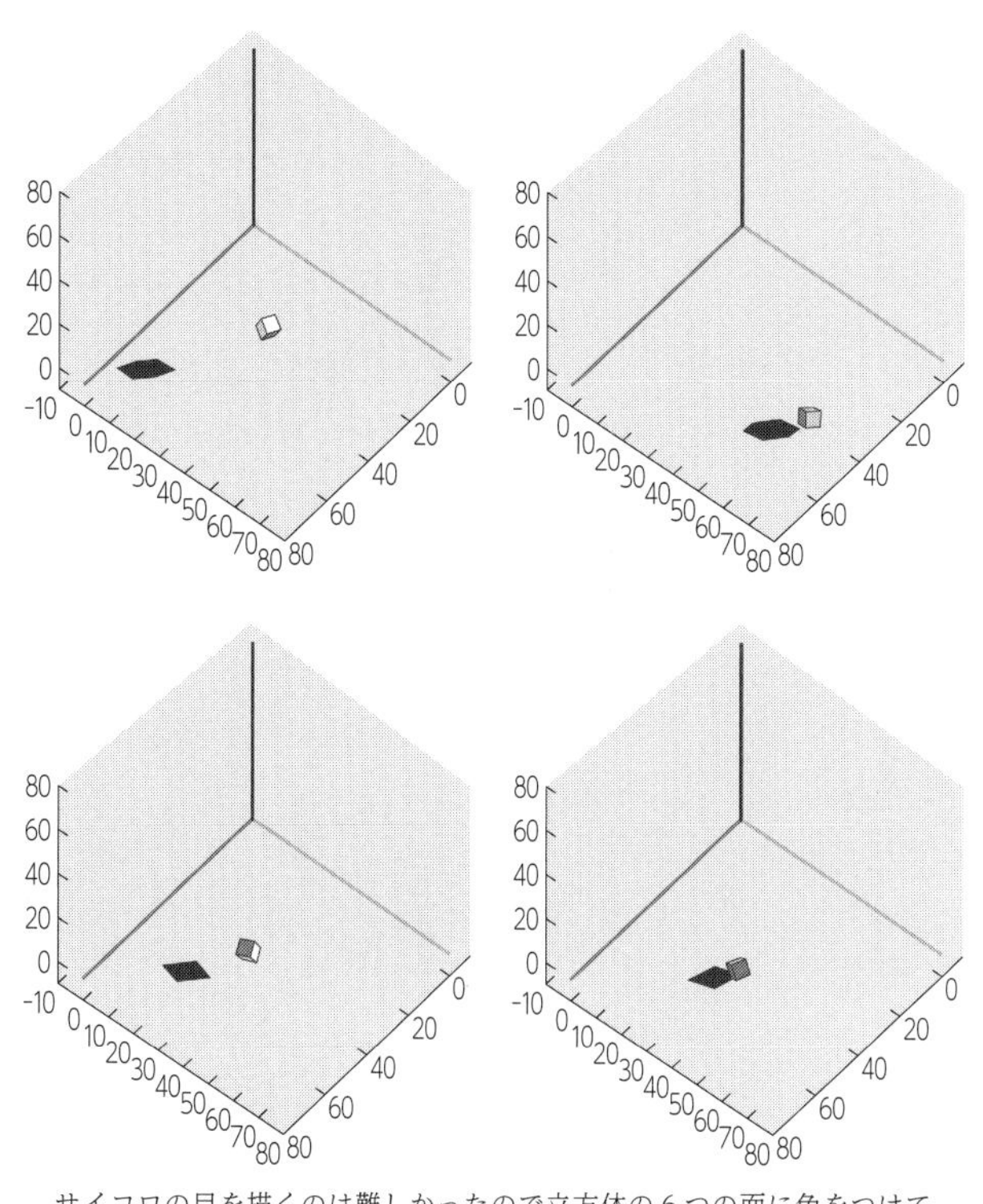

サイコロの目を描くのは難しかったので立方体の６つの面に色をつけてあります．３次元空間での運動の様子がわかるように右上の方から光が当たっているものとして影をつけてあります．こんな絵を何枚も描いて連続再生すると立方体が跳ねたり転がったりするアニメになります

図 6-1　サイコロシミュレータの画面

たとえばサイコロをつまんで高いところからまっすぐに落とすと、まったく回転しないで落ちていきます。傾いた姿勢で落ちていったときには、どこかの角が床にあたってはね返るときに回転しはじめます。回転しながら床にあたったときは、その当たり方によって、回転の向きが逆になったりそのままだったり。最後に止まる前に角で立ってしばらく独楽（こま）のように回っていたり、そうでなかったり。いろいろな落とし方でどんなふうな転がり方をするか、見ているといつまでも飽きません。

このシミュレータでは、サイコロを落とす高さや姿勢を自由に変えることができます。

私はユウに落とし方をいろいろ変えてサイコロの転がり方が変わるのを見せてやりました。

「これ、本当にじいが作ったの？」

「そうだよ」

「すごいじゃん。遊んでいい？」

正直なところ、このシミュレータが完成したとき、私もひそかに「すごいじゃん」と思いました。これで「正しいサイコロ」が用意できた。あとはこれを転がして、６つのどの目も同じように出ることを確かめればいい、と。

サイコロ落とし実験

まずやってみたのは、サイコロの向きを少しずつ変えながら、いろいろな高さから落としてみることです（最初の姿勢は次のように決めました。「３」の目から、「４」の目に向かって突き刺した「軸」を中心にサイコロを１３５度回してから「１」の目の方に２３・４４度傾けます。そして最後にもう一度「軸」の周りに反時計回りに（２４０−０・０００２）度回しました）。

この実験を最後にサイコロを回す角度を少しずつ増やしながら繰り返した結果を記録したのが、**図６-２**です。左端の１列目から右の２列目、３列目と進むにつれて、サイコロを最後に回す角度が２１８分の１度ずつ増えています。これは1.1秒間の太陽の方向の変化に等しく、人間にとって非常に小さい変化です。

これほど小さな角度変化でも、最後に止まったときの目を大きく変えることを**図６-２**は示しています。しかも、角度が増えるにしたがって順に大きな目が出るような規則にしたがう変化ではありません。でたらめな目を出すサイコロのシミュレータができたのです。

姿勢の変化が本当にわずかずつで、**図６-２**の一番下の行を見るとすべて「３」になって

落とした高さ（cm）	サイコロを最後に回した角度 240−0.0002 度～240+0.0002 度																																							
47		6	6	5	6	4		4	1	4	2	6	6	3		4	2	6	2	6	2	2	2	5	4	2	1	6		1	2	1	2	5	1	1		6	4	5	2
46		6	6	5	6	4		4	1	4	2	6	6	1		4	2	6	2	6	2	2	2	5	4	2	1	6		1	2	1	2	5	1	1		6	4	5	2
45	1	2	5	2	5	5	5		2	4	2	2	2	1	6	2	1	2	4	1	3	5		4	1		2	1	2					2	1	4	1	3	1	4	3
44	1	2	5	2	5	5	5		2	4	2	2	2	1	6	2	1	2	4	1	3	5		4	1		2	1	2					2	1	4	1	3	1	4	3
43	1	2	5	2	5	5	5		2	4	2	2	2	1	6	2	1	2	4	1	3	5		4	1		2	1	2					2	1	4	1	3	1	4	3
42	1	2	5	2	5	5	5		2	4	2	2	2	1	6	2	1	2	4	1	3	5		4	1		2	1	2					2	1	4	1	3	1	4	3
41	3	3	3	5	3	3	3	3	3	3	3	6	3	3	1	1	6	3	3	3	3	6	6	1	5	5	2	4	2	3	5	5	5	5	3	3	3	3	3		3
40	3	3	3	5	3	3	3	3	3	3	3	6	3	3	1	1	6	3	3	3	3	6	6	1	5	5	2	4	2	3	5	5	5	5	3	3	3	3	3		3
39	3	3	3	5	3	3	3	3	3	3	3	6	3	3	1	1	6	3	3	3	3	6	6	1	5	5	2	4	2	3	5	5	5	5	3	3	3	3	3		3
38	3	3	3	5	3	3	3	3	3	3	3	6	3	3	1	1	6	3	3	3	3	6	6	1	5	5	2	4	2	3	5	5	5	5	3	3	3	3	3		3
37	2	6	4	2	3	3	4	2	2	2	6	6	2	3	1	3	1	5	3	2	1	1	1	1	1	6	4	6	6	6	4	5	4	2	2	1	4	6	2	2	4
36	2	6	4	2	3	3	4	2	2	2	6	6	2	3	1	3	1	5	3	2	1	1	1	1	1	6	4	6	6	6	4	5	4	2	2	1	4	6	2	2	4
35	2	6	4	2	3	3	4	2	2	2	6	6	2	3	1	3	1	5	3	2	1	1	1	1	1	6	4	6	6	6	4	5	4	2	2	1	4	6	2	2	4
34	4	4	4	4		2	2	1	2	1	1	3	1	2	1	3	1	3	1	1	5	1	4	4	4	1	4	4	5		4	4	4			1		1	1	5	5
33	4	4	4	4		2	2	1	2	1	1	3	1	2	1	3	1	3	1	1	5	1	4	4	4	1	4	4	5		4	4	4			1		1	1	5	5
32	4	4	4	4		2	2	1	2	1	1	3	1	2	1	3	1	3	1	1	5	1	4	4	4	1	4	4	5		4	4	4			1		1	1	5	5
31	4	4	4	4		2	2	1	2	1	1	3	1	2	1	3	1	3	1	1	5	1	4	4	4	1	4	4	5		4	4	4			1		1	1	5	5
30	6	3	3	4	4	4	1	3	1	6	2	6	2	2	2	5	1	1	3	3	3	3	5	6	6	6	6	2	2	6	1	1	1	1	1	2	1	1	2	1	
29	6	3	3	4	4	4	1	3	1	6	2	6	2	2	2	5	1	1	3	3	3	3	5	6	6	6	6	2	2	6	1	1	1	1	1	2	1	1	2	1	
28	6	3	3	4	4	4	1	3	1	6	2	6	2	2	2	5	1	1	3	3	3	3	5	6	6	6	6	2	2	6	1	1	1	1	1	2	1	1	2	1	
27	4	4	5	1	4	4	4	4	4	4	4			4							1	4	6	2	3	3	3	3	6	2				6	6	6	6	6	6	5	6
26	4	4	5	1	4	4	4	4	4	4	4			4							1	4	6	2	3	3	3	3	6	2				6	6	6	6	6	6	5	6
25	4	4	5	1	4	4	4	4	4	4	4			4							1	4	6	2	3	3	3	3	6	2				6	6	6	6	6	6	5	6
24	4	4	4	4	3		4				1	1	1	1	1	1	1	1	1	1	1	1	1	1	1	1	6		6	6	6	6	6	6		6	6	1	3	3	3
23	4	4	4	4	3		4				1	1	1	1	1	1	1	1	1	1	1	1	1	1	1	1	6		6	6	6	6	6	6		6	6	1	3	3	3
22	4	4	4	4	3		4				1	1	1	1	1	1	1	1	1	1	1	1	1	1	1	1	6		6	6	6	6	6	6		6	6	1	3	3	3
21	2	2	2	2	2	2	3	3	3	3	3	3	3	3	3	3	3	3	3	3	2	2	2	2	2	6	2	2	2	2	2	6	2	2	1	1	1	1	1	1	1
20	2	2	2	2	2	2	3	3	3	3	3	3	3	3	3	3	3	3	3	3	2	2	2	2	2	6	2	2	2	2	2	6	2	2	1	1	1	1	1	1	1
19	1	1	1	1	1	1	1	1	1	1	1	1	1	1	1	1	1	1	1	1	4	4	4	4	4	4	4	4	4	4	4	4	4	4	4	4	4	4	4	4	4
18	1	1	1	1	1	1	1	1	1	1	1	1	1	1	1	1	1	1	1	1	4	4	4	4	4	4	4	4	4	4	4	4	4	4	4	4	4	4	4	4	4
17	1	1	1	1	1	1	1	1	1	1	1	1	1	1	1	1	1	1	1	1	4	4	4	4	4	4	4	4	4	4	4	4	4	4	4	4	4	4	4	4	4
16				4	4	4	4	4	4	4	4	4	4	4	4	4	4	4	4	4	4	4	4	4	4	4	4	4	4	4	4	4	4	4	4	4	4	4	4	4	4
15				4	4	4	4	4	4	4	4	4	4	4	4	4	4	4	4	4	4	4	4	4	4	4	4	4	4	4	4	4	4	4	4	4	4	4	4	4	4
14	2	2		4	4	4	4	2	2	2	4	4	2	4	2	2	4	4	4	4	2	4	2	2	2	4	2	2	1	1	1	1	1	1	4	1	1	1	4	1	1
13	2	2	2	2	2	2	2	2	2	2	2	2	2	2	2	2	2	2	2	2	2	2	2	2	2	2	2	2	1	1	1	1	1	1	1	1	1	1	1	1	1
12	6	6	6	6	6	6	6	6	6		6	6	6	6	6	6	6	6	6	6	6	6	6	6	6	6	6	6	6	6	6	6	6	6	6	6	6	6	6	6	6
11	6	6	6	6	6	6	6	6	6		6	6	6	6	6	6	6	6	6	6	6	6	6	6	6	6	6	6	6	6	6	6	6	6	6	6	6	6	6	6	6
10	1	1	1	1	1	1	1	1	1	1	1	1	1	1	1	1	1	1	1	1	1	1	1	1	1	1	1	1	1	1	1	1	1	1	1	1	1	1	1	1	1
9	4	4	4	4	4	4	4	4	4	4	4	4	4	4	4	4	4	4	4	4	4	4	4	4	4	4	4	4	4	4	4	4	4	4	4	4	4	4	4	4	4
8	4	4	4	4	4	4	4	4	4	4	4	4	4	4	4	4	4	4	4	4	4	4	4	4	4	4	4	4	4	4	4	4	4	4	4	4	4	4	4	4	4
7	6	6	6	6	6	6	6	6	6	6	6	6	6	6	6	6	6	6	6	6	6	6	6	6	6	6	6	6	6	6	6	6	6	6	6	6	6	6	6	6	6
6	3	3	3	3	3	3	3	3	3	3	3	3	3	3	3	3	3	3	3	3	3	3	3	3	3	3	3	3	3	3	3	3	3	3	3	3	3	3	3	3	3

一番上が床上 47 cm，一番下が床上 6 cm です．サイコロは 5 cm 角の立方体として計算しました．サイコロの傾きを少しずつ変えた結果を左から右に並べてあります．空欄がありますが，この位置の初期値からスタートした計算の時間がかかりすぎて最後に出る目が決められなかった場合です

図 6-2　サイコロの姿勢と落とす高さで出る目が違う

います。これは、この姿勢でつまんだ5センチ角のサイコロを6センチの高さから落とすと「3」を上にして止まることを示しています。

同じ姿勢で8センチから9センチの高さから落とすと、「4」の目を上にして止まることもわかります。床にあたって跳ね返ったサイコロが裏返しになって「3」の目の反対側の「4」の目を出して止まるわけです。10センチ以上の高さから落とした場合にまた目の出方が変わるのはサイコロがもう一回跳ね返るからです。

こんなふうに高い位置から落としたサイコロは何回も跳ね返って、そのたびに回転の向きや速さが変わるため、最後に止まるときにどの目が上になるか予測できなくなるのです。

さあ、このシミュレータを使えば、正しいサイコロが1〜6の目を均等に出すことが示せるぞ、と思ったのですが、はたと困りました。

たしかに微妙に角度を変えるだけで出る目が変わることはわかったけれど、シミュレータのサイコロは、同じ落とし方をするとまったく同じ転がり方をして同じ面を上にして止まるのです。せっかく作ったシミュレータはやはり「偽物（にせもの）」なのではないか？　だって本物のサイコロは同じ落とし方をしても、出る目が変わるのです。

一瞬、がっくりした私ですが、落ち着いて考えてみると、本物のサイコロだってまったく同じ落とし方をするとまったく同じ転がり方をして同じ面を上にして止まるのではないでしょうか？　同じ落とし方をしている「つもり」でも、実際には同じ落とし方になっていないのではないだろうかと考えたのです。

「同じ落とし方をしても違う目が出る」という経験は「同じ落とし方」をしたという「観測」の精度があらいことによるのではないか。だったら、この「正確に同じ落とし方はできない」というところまで含んだシミュレーションをすればいいわけです。

ここまで来れば答えは簡単、シミュレータでもサイコロを投げる高さや傾きが正確に決められないようにすればいいのです。つまり、サイコロをでたらめに投げればでたらめな目の出方をする。私はシミュレータで遊んでいるユウにこんなことを話しました。

「ふりだしにもどっちゃったね」

「そうなんだよ」

本物サイコロ投げ実験

「サイコロをでたらめに投げればでたらめな目の出方をする」というのは、考えてみればあたりまえです。では「サイコロをでたらめでない投げ方をすればでたらめでない目の出方をする」というのはどうでしょう？　本物のサイコロでもそうなのではないでしょうか。私は確かめてみることにしました。

まず「かなり正しいと思われるサイコロ」を手に入れる必要があります。たいていのサイコロは立方体の６つの面の目がくぼんでいます。だから少し重心がくるっているはずです。私は、目がくぼみになっていなくて重心にくるいがないとされているサイコロを手に入れました。

そして「でたらめでない投げ方」をするために、深さ70センチほどのプラスチックのごみ入れを用意しました。このなかでサイコロを投げれば、遠くまで転がっていってしまって探すのに苦労するようなことはないだろうと考えたのです。私が決めた投げ方は次のような投げ方です。

①　サイコロは右手親指と人差し指でつまむ。

② サイコロを落とす高さはごみ入れの縁のあたりとする。
③ ただ落とすのでなくひねりながら投げ落とす。

サイコロをつまむ方法は、24通りあります。なぜ24通りかというと、まず親指を当てる面が6通り。たとえば「1」の目を親指に当てたときに人差し指は「6」に当たりますが、人差し指が指している方向を向く面の目は「2」、「3」、「4」、「5」のどれかで4通りになります。4×6＝24です。

私はこの24通りのつまみ方それぞれで120回ずつ投げました。結局、投げた回数は4×6×120＝2880回！

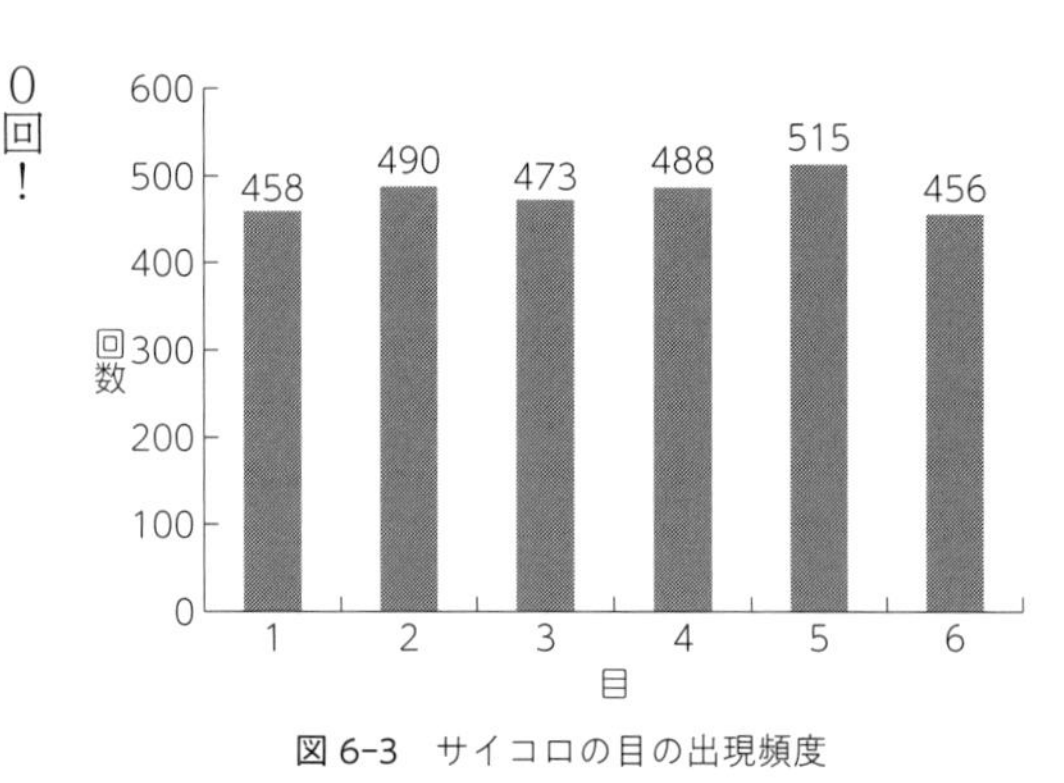

図 6-3　サイコロの目の出現頻度

投げたサイコロが底に当たって跳ね返ります。当たり方によって回転の向きが逆になったりそのままだったり。角で立ってしばらく独楽のように回っていたり、そうでなかったり。

サイコロシミュレータの計算が、本物のサイコロの運動をかなりうまく再現していることがよくわかります。このように、２８８０回投げた結果を集計してできたのが図６-３です。

少しでこぼこがありますが、「正しいサイコロ」を２８８０回振ったときにこの程度のでこぼこがあるのは、「普通」なのではないでしょうか。「普通」なのかどうか統計学的に決める「検定」というやり方を次に説明します。

サイコロの「検定」

サイコロがくるっていなければ、振った回数のだいたい6分の1の回数ずつそれぞれの目が出るはずです。サイコロをn回振ったときの目がiであった回数をn_iで表わして、「くるい」の程度を表わす指標として、図６-４の式を使います。

たとえば、２８８０回振ってどの目もちょうど４８０回ずつ出たとき、図６-４の式の値は０で、４８０回より多く出た目や少なく出た目があると、正の値をとります。この値が一定の値（閾値（しきいち）と呼ぶことにしましょう）よりも大きかったら、くるったサイコロだと認定するという方法です。

サイコロの出方は偶然に左右されますから、図６-４の式の値も偶然に左右されます。こ

$$\chi^2 = \frac{(n_1 - e_1)^2}{e_1} + \frac{(n_2 - e_2)^2}{e_2} + \frac{(n_3 - e_3)^2}{e_3} + \frac{(n_4 - e_4)^2}{e_4} + \frac{(n_5 - e_5)^2}{e_5} + \frac{(n_6 - e_6)^2}{e_6}$$

ただし

$$n = n_1 + n_2 + n_3 + n_4 + n_5 + n_6$$

$$e_1 = e_2 = e_3 = e_4 = e_5 = e_6 = \frac{n}{6}$$

$n_1 = 458$, $n_2 = 490$, $n_3 = 473$, $n_4 = 488$, $n_5 = 515$, $n_6 = 456$ の場合(図 6-3)

$$n = 458 + 490 + 473 + 488 + 515 + 456 = 2880$$

$$e_1 = e_2 = e_3 = e_4 = e_5 = e_6 = \frac{2880}{6} = 480$$

$$\chi^2 = \frac{(-22)^2}{480} + \frac{(10)^2}{480} + \frac{(-7)^2}{480} + \frac{(8)^2}{480} + \frac{(35)^2}{480} + \frac{(-24)^2}{480} = 5.2$$

$n_1 = 578$, $n_2 = 336$, $n_3 = 529$, $n_4 = 537$, $n_5 = 416$, $n_6 = 484$ の場合(図 6-5)

$$n = 578 + 336 + 529 + 537 + 416 + 484 = 2880$$

$$e_1 = e_2 = e_3 = e_4 = e_5 = e_6 = \frac{2880}{6} = 480$$

$$\chi^2 = \frac{(98)^2}{480} + \frac{(-144)^2}{480} + \frac{(49)^2}{480} + \frac{(57)^2}{480} + \frac{(-64)^2}{480} + \frac{(4)^2}{480} = 83.5$$

χ^2 という記号は「カイ2じょう」と読みます．χ はエックスに似ていますが，ギリシャ文字の「カイ」です

図 6-4　χ^2 検定量

のような認定法には、本当は正しいサイコロをくるっていると誤認する（「第1種の過誤（かご）」といいます）場合と、くるっているサイコロをくるっていると認定できない誤認（「第2種の過誤」といいます）があります。

閾値を大きくとれば、第1種の過誤をおかす危険は減りますが、第2種の過誤をおかす危険は増えます。

閾値はこの両方の危険を考えながら、関係者で相談して決めればいいのですが、一般的には第1種の過誤が5％あるいは1％になるように選ばれることが多いようです。この方法で調べてみて「サイコロがくるっている」と認定されたら、そのサイコロを使うのはやめるべきでしょう。

図6-4のχ^2（カイ2乗）で定義される指標の場合、第1種の過誤を5％、1％にする閾値は、それぞれ、11・07と15・09になります。**図6-3**のデータ（458、490、473、488、515、456）では$\chi^2=5.2$となり、第1種の過誤の確率を5％にとった場合も、1％にとった場合も、サイコロがくるっているという認定はなされません。

同じデータを

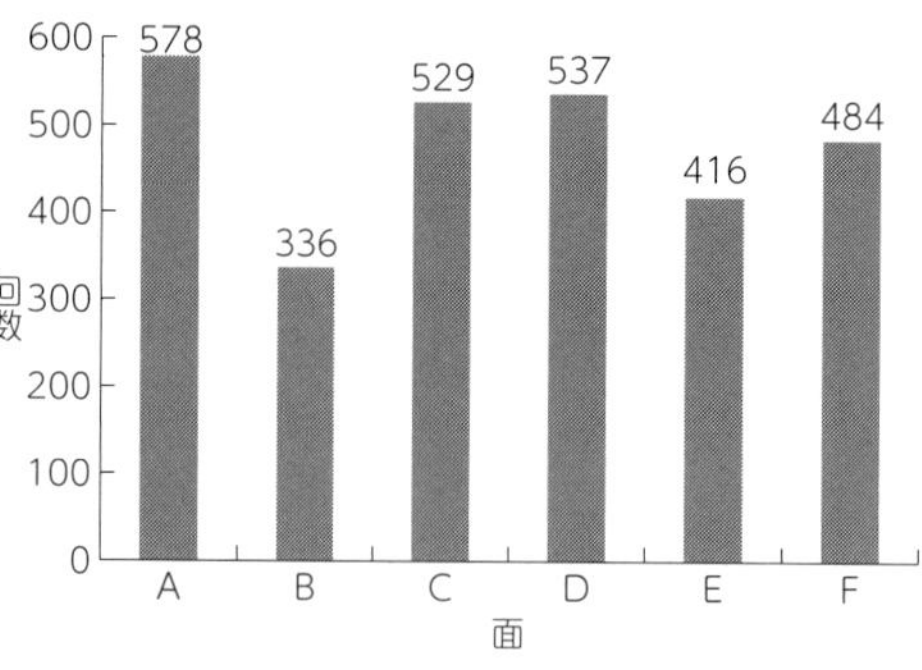

A：親指が当たっていた面　578
B：人差し指が指している方向を向いた面　336
C：親指と人差し指の間に見えた面　529
D：Cの裏側　537
E：Bの裏側　416
F：人差し指が当たっていた面　484

図 6-5　サイコロの持ち方と出る目の関係

A　親指が当たっていた面
B　人差し指が指している方向を向いた面
C　親指と人差し指の間に見えた面
D　Cの裏側
E　Bの裏側
F　人差し指が当たっていた面

で集計すると、**図6-5**になります。使用したサイコロは右手の親指と人差し指でつまんだとき、親指が当たっていた面が1、人差し指が指している方向にある面が3のとき、親指と人差し指の間に2か5が見えるはずです。実験に使ったのは2が見えるタイプのものでした。サイコロの目の出方は、持ち方だけで決まるわけではありません。投げ方、床の硬さなどさまざまな要因が関係しています。ここに書いたのと同じような実験をしても同じような結果になるとは限らないことを注意しておきます。

この図6-5の出方に関しては、χ^2＝８３・５となります。これは閾値を１５・０９にとった場合にもサイコロはくるっていると認定される値です。

この結果は、「サイコロをいつも決まった投げ方をすれば、あまりでたらめでない目の出方をする」ということを示していると受けとっていいでしょう。

つまり、どうやら、サイコロが立方体（正６面体といういい方もあります）という整った対称性をもった形をしているために、特に意識しないでサイコロを拾い上げて投げると、持ち方や投げ方がでたらめになって、でたらめな目が出るというのが「サイコロの秘密」らしいのです。

「サイコロを投げる」という実験のコンピュータシミュレーションをするとき、「キーボードからサイコロの初期姿勢を入力して、プログラムをスタートさせる」という操作を行いますが、これでは実際の「投げる」という動作をシミュレートできないと考える必要があったのです。

正6面体の秘密

このほかにもうひとつ秘密があることに、シミュレータを作ったことで気がつきました。整った対称性をもつ多面体は、正6面体にかぎりません。たとえば正20面体というものがあります。正20面体を使った「乱数サイコロ」というのも市販されています。正20面体の面に0~9の数字を2個ずつばらまいたものです。

私は「正20面体のサイコロは正6面体のサイコロよりも転がりやすい」とずっと思っていました。サイコロがいろいろな目を出すのはサイコロが転がるから、つまり回転するからです。

しかし回転を与えないで落としたサイコロが床に当たって回転し始めるのをシミュレータで見ているうちに、正20面体のサイコロに回転を与えずに落としたら、こんなに転がらないだろうということに気づきました。サイコロが回転し始めるには重心の位置とずれたところが床に当たる方が有利で、この点に関しては正6面体のサイコロの方が正20面体のサイコロよりも転がりやすくて優れているのです。(ラグビーボールではない)球形のボールをただ落としても回転し始めることがないのはご存知でしょう。

正4面体というのもあります。回転し始めることに関してはこちらの方がさらに優れているかもしれません。しかしこの形は転がり続けるのが難しそうに感じます。たぶん「転がりはじめやすさ」と「転がり続きやすさ」という2つのことをうまくバランスさせるのが、正6面体という形だと思われる。私はこんなふうにユウに話しました。


「わかったかい？」

「よーくわかった。わかったからすごろくしようよ」

「あきらめないね」

「あきらめないよ。シミュレータ使ってやろうよ」

「それじゃやらざるを得ないな。でも毎回初期値を変えなきゃだめだよ」

「りょうかい！」


というわけで、結局、ユウとすごろくをするはめになりました。シミュレータでサイコロを振ってもすごろくはすごろく。大人にはちょっと退屈です。

そんな私のために、「モンテカルロすごろく」というものを作りました（図6-6）。このすごろくでは、運にしたがってコマが前に進んだり後戻りしたりします。それがモンテカルロという国で行われている、宝くじのような賭けでお金がもうかったり損したりするのに似ているのでこんな名前にしたのです。図6-6を拡大コピーして遊んでみてください。

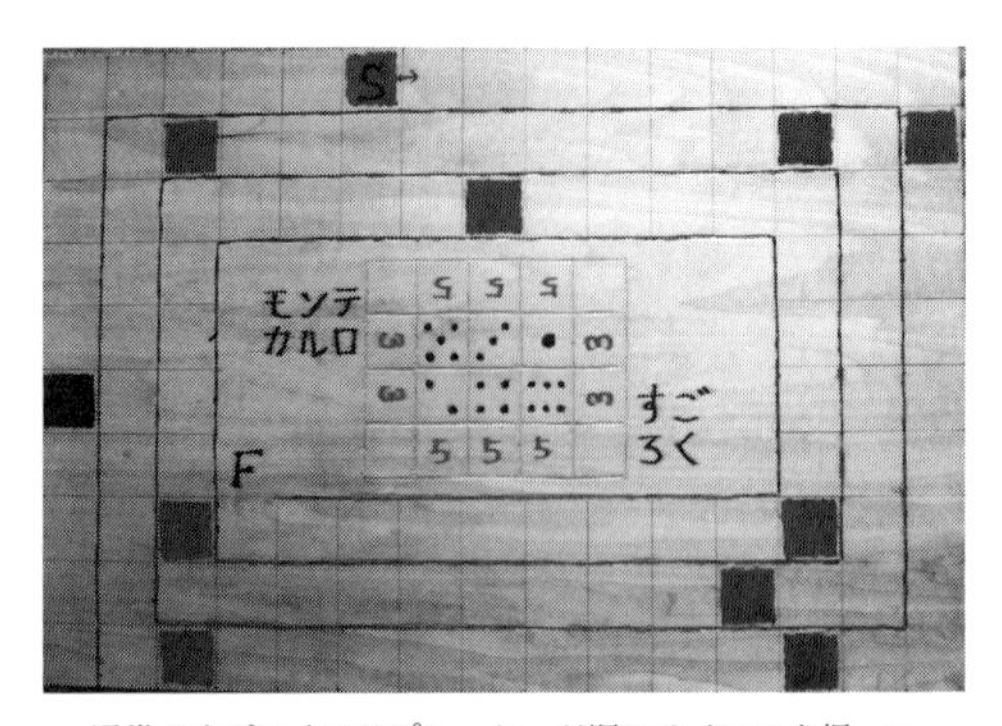

通常のすごろくではプレーヤーが順にサイコロを振ってその結果でコマを進めるが，このゲームではサイコロを振るのは代表者ひとり．サイコロを振るプレーヤーも含む各プレーヤーが出る目に「賭け」，サイコロの目に応じて全員が同時にコマを動かします

ルール① 「賭け」の選択肢は以下のとおり
- 「1」～「6」の目のどれかを選択，当たったら 10 ます前進，はずれたら 1 ます後退
- 「1 か 6」，「3 か 4」，「2 か 5」のどれかを選択し，当たったら 5 ます前進，はずれたら 1 ます後退
- 偶数，奇数のどちらかを選択し，当たったら 3 ます前進，はずれたら 1 ます後退

ルール② 0 番ます(S)からスタートして，100 番ます(F)に先に到達したプレーヤーが勝ち．−10 番ますに落ちたプレーヤーは失格

ルール③ 賭けの選択はゴール(F)に近いプレーヤーから順に行う．後から賭けるプレーヤーは同じ賭けを選択してはいけない

図 6-6 モンテカルロすごろく

問題コーナー

4、1、6、1、5、3、5、6、1、4、6、5、6、4、3、6、3、5、4、5、1、5、1、5、4、2、3、4、5、3、4、5、6

これがサイコロを33回振って出た目の記録だとすると、それは異常だと言えます。どこが異常なのか説明できますか？

【解答例】 サイコロを振ると、どの目も同じ6分の1の確率で出るはずです。そうであるなら、33回振ったとき、そのうち5か所ぐらいは同じ目が連続して出るはずです。問題の数字の列には、どこにも同じ目のくり返しがないので、サイコロの目の記録としては不自然です。

統計学的には

統計学では、でたらめに見えるデータを研究する一方で、でたらめなデータを作って利用することもします。利用するために作られるでたらめデータを**乱数**（らんすう）と言います。乱数が持っていなくてはならない最も大切な性質は、第4話と第5話で説明した言葉を使うと、乱数の値と関係がある**説明変数**（せつめいへんすう）は決して見つからないという性質です。

サイコロを振って出た目を記録することによって1〜6の値をとる乱数が得られると考えていいのです。乱数の分布によって**一様乱数**（いちよう）とか**正規乱数**（せいき）などの種類があります。どの目も同じ確率で出るとき、一様乱数といいます。正規乱数というのは、値が正規分布にしたがうものです。第1話に書いた**標本**（ひょうほん）の**無作為抽出**（むさくいちゅうしゅつ）を実際に行うときは一様乱数を利用するのが普通です。乱数については、次の第7話にも出てきます。

今回の話で紹介したサイコロの**検定**（けんてい）は作った乱数が一様乱数になっていると見なせるかどうかを調べる方法です。

私がやった実験でわかったのは、サイコロの目の出方がサイコロを投げるときのつまみ方と無関係ではないということです。この結果を見ると何かを決めるときにサイコロを使って大丈夫かどうか心配になったかもしれませんが、大丈夫です。

ちょっと極端ですが、サイコロをそっとつまんでテーブルの上5ミリぐらいのところから落としても乱数にはならないのがあたりまえで、そんな「投げ方」ではなく、普通に投げればサイコロのどの角がどう床に当たるかなど普通の人間はコントロールできません。

$$\chi^2 = \sum_{i=1}^{m} \frac{(n_i - e_i)^2}{e_i}$$

$m = 6$ の場合,

$$\chi^2 = \sum_{i=1}^{6} \frac{(n_i - e_i)^2}{e_i}$$

となりますが，この式は

$$\chi^2 = \frac{(n_1 - e_1)^2}{e_1} + \frac{(n_2 - e_2)^2}{e_2} + \frac{(n_3 - e_3)^2}{e_3} + \frac{(n_4 - e_4)^2}{e_4} + \frac{(n_5 - e_5)^2}{e_5} + \frac{(n_6 - e_6)^2}{e_6}$$

とまったく同じことを意味します.

この式をサイコロの検定に利用したのが図 6-4 です

図 6-7　χ^2 検定量の一般形

ですから、ただ、いつも同じつまみ方をするのはしない方がいいと思います。

統計学では**社会調査**（しゃかいちょうさ）のときにでたらめに人を選ぶだけでなく、面倒な計算をすべての場合について計算するのでなく、でたらめに選んだ場合の計算だけで済ませる方法も使います。このような方法を**モンテカルロ法**といいますが、これもでたらめを利用するところがモンテカルロでサイコロやルーレットを使ってでたらめな数字を出すのと似ているからです。

なお、**χ^2**（カイ2乗）**検定**はサイコロの「くるい」を調べるだけでなくいろいろな利用法がありますので**図6-7**に一般形を書いておきます。

なお、図6-2の上半分は微小な初期値の違いが大きな変化をもたらす、いわゆる、**バタフライ効果**の一例となっていますが、下の方に見えるのは、初期値が多少違っても同じことが起きる例になっています。バターを塗ったトーストがテーブルから落ちるとたいていバターを塗った側を下にして着地します。それで、私は個人的に、このようなのをバタパン効果と呼んでいます。

第7話 ツキは続く？　続かない？——独立性

「じゃんけんで決めようよ」と私はユウに言いました。

最後に残ったチョコレートケーキの一切れをどちらが食べるかという話です。私もユウもチョコレートが大好きなのです。

「じいは勝てないよ」

「どうして？」

「ユウは今日、ついてるもの」


ユウは自信まんまんです。朝ごはんが大好きなベーコンエッグだったし、公園に行ったら大好きなエルちゃんがいたし、踏切（ふみきり）のところでお気に入りの特急電車が見られたし、つまずいて転んだら、目の前にこの間なくしたボールが転がっていたし。今日はいいことばかり起きるから、じゃんけんにもきっと勝つというのです。

「ツキ」という言葉を私も使います。夜、寝床(ねどこ)で「今日はツキがなかったなー」と思うことがあります。逆に「ついていたなー」と思いながら寝ることもあります。

「ツキ」という言葉の使い方がユウと私で微妙に違うのですが、どう違うのか、わかりますか？　ユウにとってツキがあるというのは「今日はいいことばかり起こる。これからもいいことが続くだろう」ということのようです。私にとってツキがあったというのは「今日はとてもいいことが起きた」ということです。

ユウも私も、今日これまでとてもいいことが起きたという点では、一致しています。2人とも「今日はついていた」と考えています。

ただ、ユウの方は「だから」これからやるじゃんけんでも勝てるだろうと考えているのに対し、私は、今日はついていたけれど明日もいいことが続くかどうかはわからないと思いながら寝るのです。


「ツキに2種類あるの、知ってるかい？」私は聞きました。

「2種類あるの？　どう違うの？」

「続くのと続かないのがあるんだよ」

「なに？　それ」

「シミュレーションデータを使って説明してあげよう」

「シミュレーションデータって何？　なんでそんなもの使うの？」

ツキとシミュレーション

シミュレーションというのは「まね」とか「ふり」ということで、いろいろな場面で使われる言葉ですが、ここでは、本物のデータと似通った、コンピュータで作ったデータをシミュレーションデータと呼ぶことにします。ツキを研究するのにシミュレーションが役に立つのは、続かないツキを作りだすことができるからなのです。続かないツキはどんな規則にもしたがわないでたらめな数（「乱数（らんすう）」と言います）を使って作ります。

疑似乱数

乱数を手に入れる方法のひとつは、ラジオの雑音を利用する方法です。どの放送局の電波も受信していないときに聞こえるザーッという音が雑音です。この音を出している電気信号をもとにして、乱数を手に入れることができます。このようにして得られる乱数を「物理乱数」といいます。

物理乱数を作るには、電気信号をデータに変える特殊な装置が必要です。物理乱数を作るのは難しいので、乱数っぽいデータを作る方法を説明しましょう。乱数っぽいデータを作るのなんて簡単だ、思いついた数をいいかげんに書けばいいじゃないかと思うかもしれませんが、これはそれほど簡単ではありません。そういうやり方では、その人のクセが出てしまうことが多いのです。

さいわい、本当の乱数ではないけれど、かなり乱数っぽいデータを作るコンピュータのプログラムが作れます。コンピュータプログラムで作る乱数っぽいデータを「疑似乱数」といいます。疑似乱数を作る方法もいろいろありますが、ここでは次の簡単な手順を紹介しておきます(2147483647は素数です)。

0　ゼロでない整数x_0を選ぶ。

1　x_1＝65540×x_0を2147483647で割ったあまり

2　x_2＝65540×x_1を2147483647で割ったあまり

3　以後同様

ここでの割り算は、分子が分母で割り切れないときには、あまりを残す整数の割り算です。毎回同じ数をかけては割り算をするのですが、かける数（乗数といいます）を適当にとると、この方法で1～2147483646の値をとる、でたらめな整数の列が得られます。

この作り方から、何番目かのx_nが以前に出た値と同じであれば、それから後は以前と同じ数が同じ順序で出てくるのは明らかです。そんな数の列は本当にでたらめな数とは言えませんが、数千、数万個ぐらいのでたらめな数があればいい場合には、でたらめな数と考えてもいいのです。少なくとも私はこのやり方で作った乱数でいろいろなシミュレーションをやってきましたが、不都合はありませんでした。

乱数の加工

上の方法で作った数x_1、x_2、…は、必ず1と2147483647の間の整数となります。これらの数を2147483647で割った小数u_1、u_2、…は0～1.0の間に一様に散らばる乱数となります。これを「一様乱数」といいます。このときの割り算は割り切れないときは

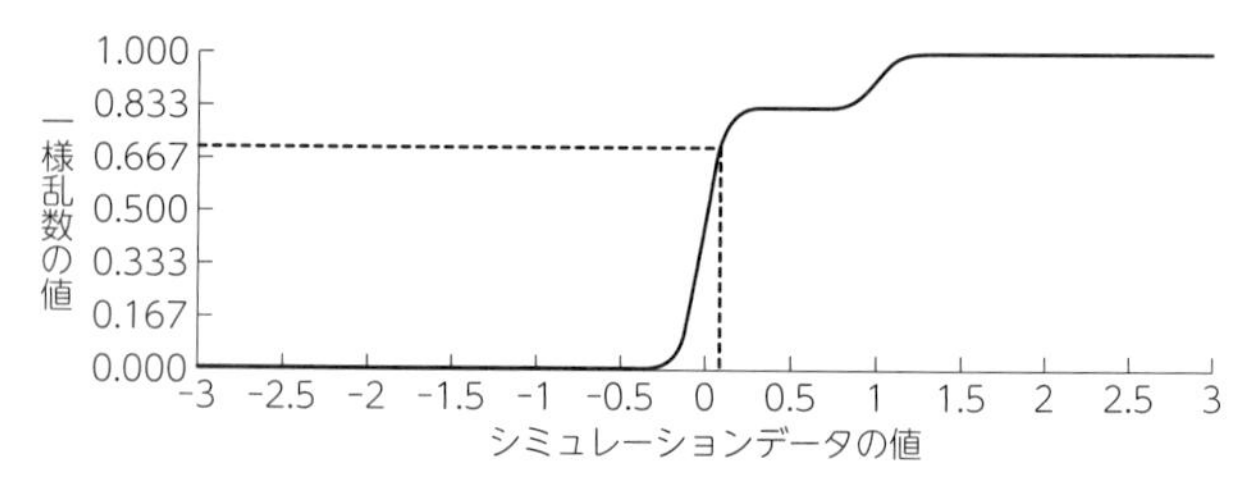

一様乱数の値が 0.7 の場合，縦軸 0.7 の位置から引いた水平な線が実線のグラフにぶつかったところから下ろした垂線が横軸に当たる位置は約 0.1008 です

図 7-1　「0 のあたり」と「1 のあたり」の値を発生させる方法

小数で答えを出します。

図7-1のような、右に行くにしたがって0から1へ上がっていくグラフを利用して、一様乱数を一様でなくあらかじめ決めた分布にしたがうとするシミュレーションデータに変換することができます。uを一様乱数の値とします。縦軸上のuの位置から右に引いた水平線がグラフにぶつかった位置から横軸に下ろした垂線の足の位置の値を、データとして読み取るのです。

同じことをくり返すと、**図7-1**のグラフの場合には、全体の6分の5が「0のあたり」に集まり、残りの6分の1が「1のあたり」に集まるというクセを持つデータが得られます。

グラフを**図7-2**にすれば、0か1のどちらかの値しかとらないデータになります。0と1をコインの裏と表と見なすことにすれば、コイン投げ実験のシミュレーシ

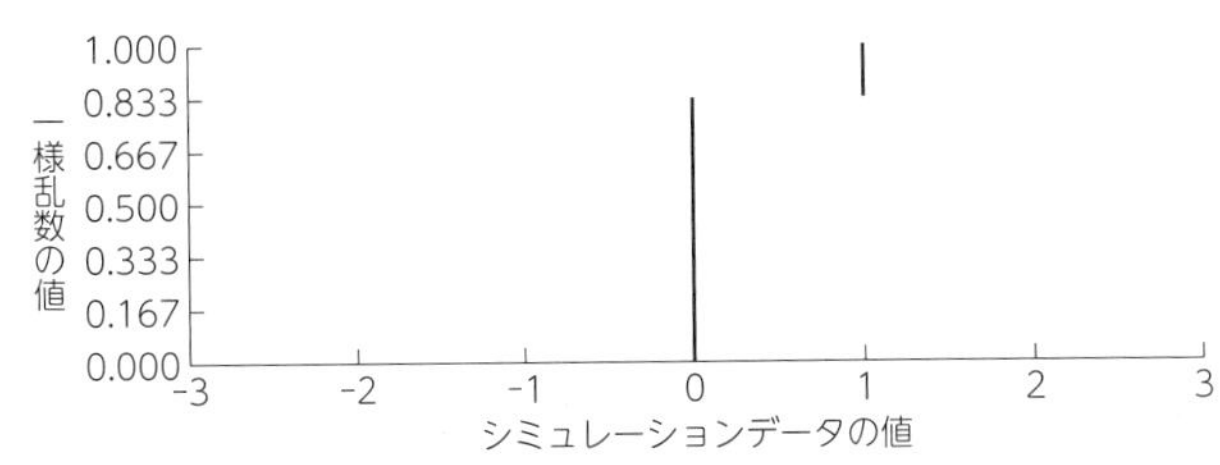

一様乱数の値が 0.7 の場合，縦軸 0.7 の位置から引いた水平な線が実線のグラフにぶつかったところから下ろした垂線が横軸に当たる位置は 0 です．一様乱数の値が 6 分の 5 以上の値をとる場合のシミュレーションデータの値は 1 になります

図 7-2　0 あるいは 1 を発生させる方法

ョンデータを作ることができます。グラフの形を変えてサイコロ投げ実験のように1～6の目が等確率で出るデータを作ることも難しくありません。

続かないツキ

図7-3は、0と1の間の小数をでたらめに発生させる物理乱数発生器の出力を細工して、0が出る確率が6分の5、1が出る確率が6分の1の乱数に変換したもの2880個を、出た順に1番上の1段目から1番下の24段目まで並べたものです。各行は左から右に見て下さい。黒が1、白が0を表わします。

「黒をチョコレートがもらえた日、白をもらえなかった日だと思ってごらん」

「思うだけ?」

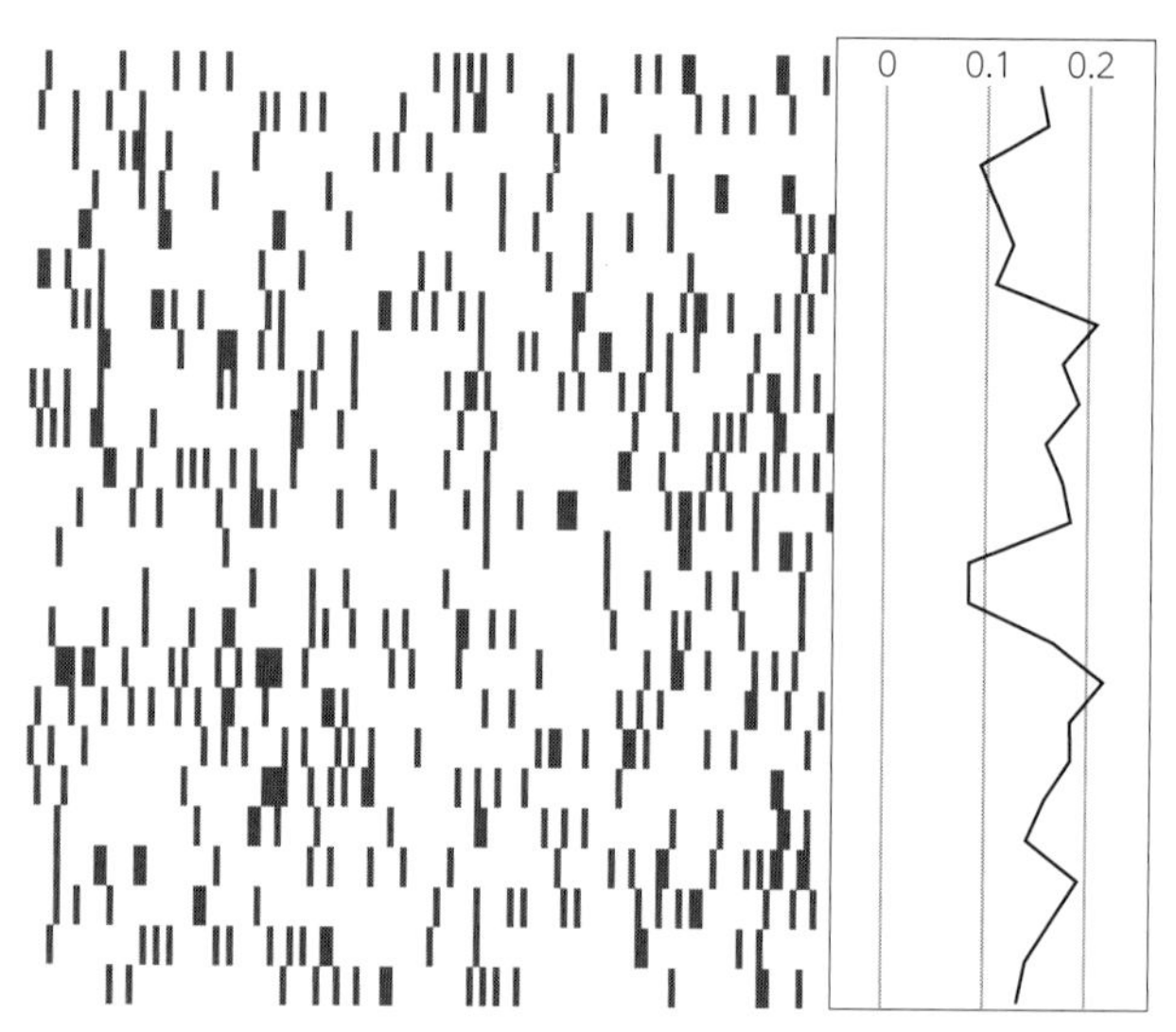

0と1の間の小数をでたらめに発生する物理乱数発生器の出力を細工して，0が出る確率が6分の5，1が出る確率が6分の1の乱数に変換したもの2880個を，出た順に左上から右下に向けて並べたものです．黒が1，白が0を表わします．右側の折れ線の横軸は頻度であり，左側の部分に現れた値1の頻度を示しています

図7-3　これからもツキが続くとは言えないデータ

「このなかに4日続けてチョコレートがもらえたのが2回あるのがわかるかい?」

「わかるよ。左下のほうでしょ」

そのほかに3日連続が3か所あります。これも見つかるでしょう。2日連続、1日だけのものも数えると、**表7-1**のようになっています。

さて、2880日というのは8年に近い日数、小学校に入って卒業して中学生になっている年月です。そのなかで3日以上連続してチョコレートをもらえたのは、たったの5回です。そんなことが起きたときに「ついていたな」と思うのは当然でしょう。

表 7-1　チョコレート獲得連続記録(1)

黒の連続日数	1日	2日	3日	4日
出現回数	321	52	3	2

図7-3はでたらめに出てきた乱数を並べただけの図で、特に黒を並べようとか、白を並べようとして作ったものではありません。特に理由がないのに「偶然のいたずら」でいいことが続くということもあるのだということを、この図が示しています。逆に、理由なしにたまたま悪いことが続くこともあるということです。

図7-3の右側のグラフは、左の1行に示された120日間でチョコレートをもらえた日の割合を示したものです。この割合が「特に理由もない」のにかなり大きく変動しているのは、偶然の結果です。こういうことを経験したときに、「ツイていたな」という感想を持つのでしょう。でもそのツキは続かないのです。

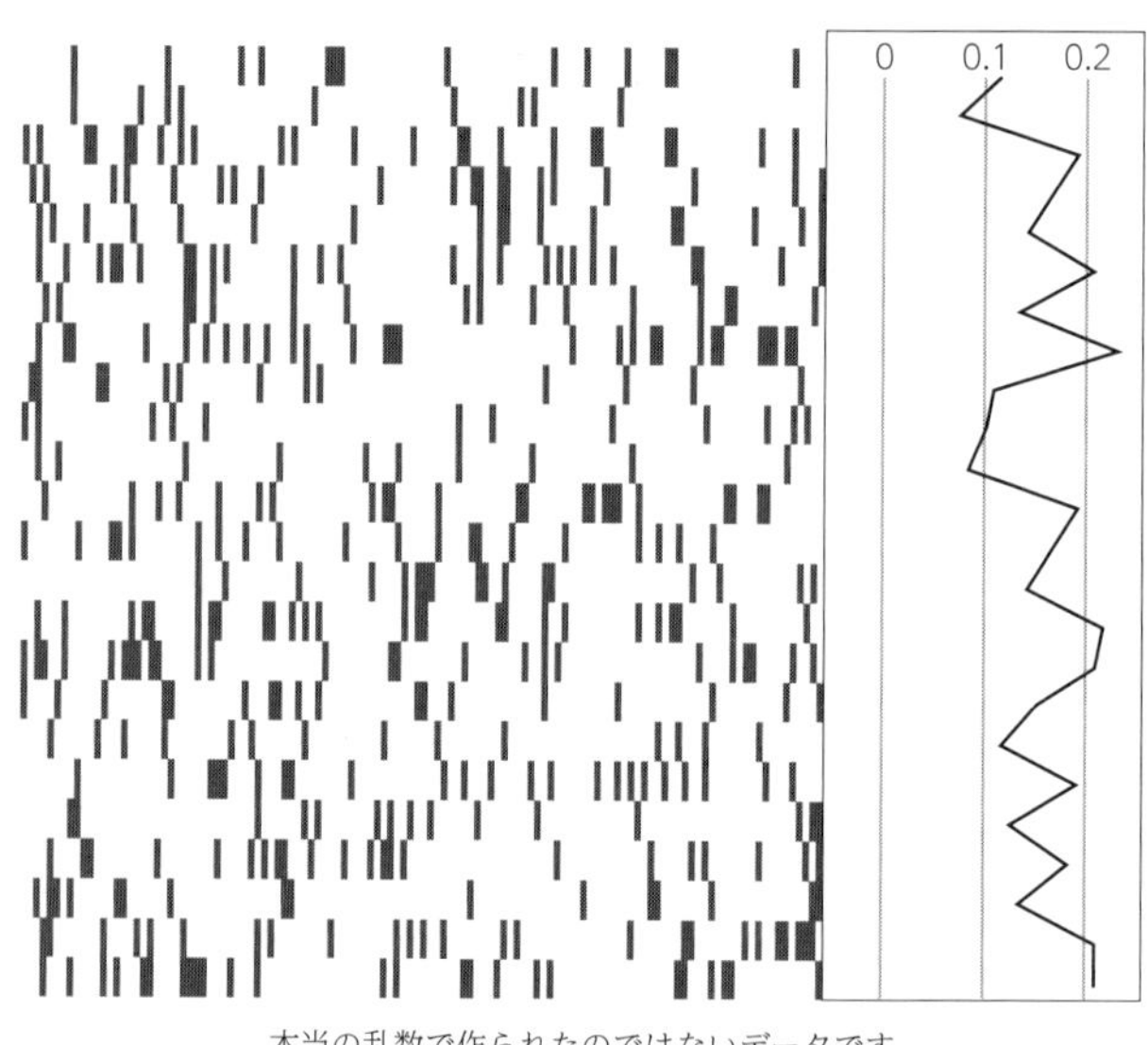

本当の乱数で作られたのではないデータです

図7-4　ツキが続きそうだと言えるはずのデータ

続くツキ

私はもうひとつの図をユウに見せました(図7-4、表7-2)。

「前のと、似てる」ユウは言いました。

たしかに、見た目に大きな違いはなさそうです。頻度のゆれもありますが、図7-3と同じ感じです。この図7-4は、前の図7-3とよく似ています。でも、じつは図7-4は第6話「サイコロの秘密」のところで使ったデータを利用して作ったものなのです。6が出たときを1、それ以外を0にして作った図で、サイコロを投げた日付、投げるときにサイコロをどう持っていたかがいちいち記録されているデータです。
第6話では、サイコロの目の出方とサイコロを投げるときの持ち方の影響を調べました。サイコロの持ち方は24通りあって、その24通りのそれぞれで120回投げた結果から、6の目が出たところを黒、それ以外を白にしたのが図7-4です。24段に分けて表示されている各段のデータは、同じ持ち方でサイコロを投げた結果だというわけです。

一番上の段のデータをとったのは、2014年10月16日です。この日は親指を「1」の目に当て、人差し指が指している方向を「2」の目が向いていました。第6話の図6-5で使った記号を使うと、Aが「1」の目、Bが「2」の目ということになります。「6」にあたっていたのは人差し指でしたからFです。つまりこのとき「6」が出る確率は「F」の目が出る確率に等しい。図6-5を見ると、2880回サイコロを投げたときにFの目が484回出たことがわかります。これから、Fの目が出る確率が2880分の484＝約0・17と計算されます。

表7-2　チョコレート連続獲得記録(2)

黒の連続日数	1日	2日	3日	4日
出現回数	306	61	8	1

番号	日付	A	B	6	確率	頻度	3連以上
1	2014/10/16	1	2	F	0.17	0.12	1
2	2014/11/ 4	5	6	B	0.12	0.08	
3	2014/11/ 7	2	4	D	0.19	0.19	
4	2014/11/13	3	1	E	0.14	0.17	
5	2014/11/21	4	2	C	0.18	0.14	
6	2014/11/28	6	3	A	0.20	0.21	
7	2014/12/ 3	1	3	F	0.17	0.13	
8	2014/12/12	1	4	F	0.17	0.23	2
9	2014/12/16	1	5	F	0.17	0.11	
10	2015/ 1/ 6	2	1	E	0.14	0.10	
11	2015/ 1/27	2	6	B	0.12	0.08	
12	2015/ 2/ 4	2	3	C	0.18	0.19	1
13	2015/ 3/24	3	5	C	0.18	0.17	
14	2015/ 8/ 5	5	1	E	0.14	0.14	1
15	2015/ 8/ 5	6	4	A	0.20	0.22	
16	2015/ 8/ 5	3	2	D	0.19	0.21	1
17	2015/ 8/ 5	4	1	E	0.14	0.15	
18	2015/ 8/10	5	3	D	0.19	0.12	
19	2015/ 8/10	6	2	A	0.20	0.19	1
20	2015/ 8/18	3	6	B	0.12	0.13	
21	2015/ 8/18	5	4	C	0.18	0.18	
22	2015/ 8/18	4	6	B	0.12	0.13	
23	2015/ 8/18	6	5	A	0.20	0.21	1
24	2015/ 8/26	4	5	D	0.19	0.21	1

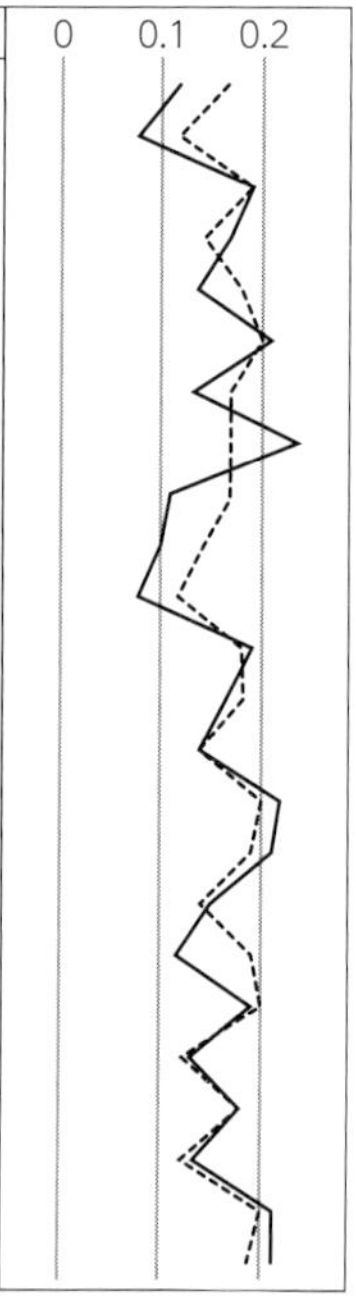

0　0.1　0.2

「番号」は実験番号で，番号 1 の実験の結果が図 7-4 の最上段，実験 24 が最下段に対応します．「日付」はデータをとった日付です．「A」欄はサイコロを投げたときに親指が当たっていた面，「B」欄は人差し指が指している方向を向いた面です．「6 欄」に示されているのはサイコロを投げたときの「6」の目の位置で，A～F の意味は次の通りです．

A：親指が当たっていた面　D：C の裏側
B：人差し指が指している方向を向いた面　E：B の裏側
C：親指と人差し指の間に見えた面　F：人差し指が当たっていた面

「確率」は第 6 話の図 6-5 のデータから求めた A～F の各面が出る確率です．「頻度」は各実験において実際に黒が出た頻度で，図 7-4 のグラフが示しているものと同じです．「3 連以上」はその段にある黒 3 連続あるいは 4 連続の数です．

グラフの実線は「頻度」で点線は「確率」です

図 7-5　「6」の目が出る確率はサイコロの持ち方で変わる

こんなふうに24段それぞれで「6」の目が出る確率を求めると、図7-5の右側に点線で描かれたグラフが得られます。実線は図7-4のグラフと同じものです。

図7-5で実線のグラフ(頻度の動き)と点線のグラフ(確率の動き)が似ています。これは6が出る頻度が「たまたま」変動しているのでなく、サイコロの持ち方で決まる「確率」と連動している証拠です。「3連以上」がある段を調べてみると、14段目の0・14という例外以外、黒になる確率が6分の1以上の黒の出現確率になっています。もともと確率が高いので黒の連続が起きやすかったのです。

つまり、いいことが続けて起きたとき、それがたまたまの偶然で、その後は続かない場合と、いいことが起きる確率が普通より高い状態だった、つまりまだ続く可能性がある場合があるというわけです。サッカーの試合で強い方のチームが連続して得点するのがたまたまではないのと同じようなことです。

続かないツキの場合に、まだ続くと思って調子に乗って無理をしたら大失敗をするかもしれません。しかし、続くツキなのに何もしなかったら、トクするチャンスを逃してしまうかもしれません。

ツキは続くのか続かないのか、見分け方

ツキには「続くツキ」と「続くとは言えないツキ」があることがわかりました。

「どうやって見分ければいいの？」ユウが首をかしげました。

「難しいけど、見分ける方法がないこともない」

「ついている」と感じたときには、何か原因があるのではないかと探すのです。図7-5の場合には、サイコロの持ち方で目の出方が違うという「原因」が見つかって、「ツキ」が説明できました。何かいいことが起きたときに原因がわかって、その原因がなくなっていなければ、まだいいことが続くと考えられます。原因の見当がつかなかったら、いいことは偶然に起きたことで、そううまい話がまた起きることを期待しないというのがいいでしょう。

原因を考えるには、データが必要です。図7-4のデータの場合には、サイコロを投げるときにどんな持ち方をしたのか記録をとっていたので、6の目が出る頻度の変動が単なる偶然でないことがわかりましたが、そのような記録をとっていないで図7-4のような記録だけが残っていたとしたら、図7-3のデータと区別することはできなかったでしょう。

こんなことを、科学者も経験することがあります。実際には微妙な点で違うことをやっていて、その微妙な違いでうまくいったりうまくいかなかったりするのに、同じことをしていると思いこんでいたら、同じことをしているはずなのに結果が違う、という経験をすることになります。それどころか、1度偶然にできたことがもう2度とできなくなったりすることがあります。

科学的な研究の場面では何か変なことや、すばらしいことが起きたときに原因追究ができるように、何をどうやっているのか正確な記録を残しておくことが大切なのです。

レントゲンの発見

では、歴史に残るような大発見をする人は、ツキがあったから発見できたのでしょうか？それとも、やはり才能や努力があったからでしょうか？

たとえば、真空管（しんくうかん）のなかの電極から発生する陰極線（いんきょくせん）の研究をしていたドイツ人物理学者のヴィルヘルム・レントゲン（1845〜1923年）は、実験室にあった蛍光板（けいこうばん）が光るのに気づいて、その原因を探して、X線を発見しました。だれもX線などというものがあるのを知らなかった時代ですから、レントゲンはX線を見つけようとして見つけたのではありません。

このような発見ができたのはレントゲンに才能があったからなのだろうか、ツキがあったからなのだろうか、と考えることがあります。

大発見に関するデータを十分に集めることができれば、このような問いにも統計学で答えを出せるのですが、大発見というのは統計的に研究できるほど何回もできるものではありません。ツキと才能を見分けるのは難しいのです。

ユウの「ツキ」

ユウが「今日はついてた」と思った日の、理由を聞いてみました。ユウがあげたのは、

1 朝ごはんが大好きなベーコンエッグだった
2 公園に行ったら大好きなエルちゃんがいた
3 踏切のところでお気に入りの特急電車が見られた
4 つまずいて転んだら、目の前にこの間なくしたボールが転がっていた

でした。しかし、これらに共通の原因があるとは思えません。この「ツキ」はたまたまの偶

然だったのでしょう。

この日、私はじゃんけんに勝ってチョコレートケーキをせしめて、「今日はついていたなー」と思いながら寝床に入りました。

問題コーナー

7という素数と乗数3で、どんな疑似乱数ができるかやってみてください。乗数を2にするとどうなるかもやってみてください。

【解答の一部】　乗数3のケースでは、1→3→2→6→4→5→1となります。

統計学的には

「いいこと」が起きる確率が普段より高くなっているときのツキは続きますが、そうでなくてもいいことが続いて起きることがあるのです。いいことが起きる確率が高くなっていることがわかるのは「いいこと」と**相関**（そうかん）がある**説明変数**（せつめいへんすう）が見つかって観測できたときです。「いいこと」と関係する説明変数があることに気づいていない人にとっては続くツキなのか続かないツキなのか見分けがつかないときでも、説明変数を知っている人には見分けがつくのです。

第4話で紹介したAICという量はある**目的変数**と深い関係を持つ説明変数を見つけるためのものでした。この話でサイコロの持ち方と「いいこと」の起こり方に関係があることがAICを使って見やぶることができます。

いくつかのことの間にどんな関係もないとき、それらのことは**互いに独立**といいます。いくつかのことが互いに独立なのにいい結果が続いたら、それは「続かないツキ」です。ユウの朝ごはんがベーコンエッグだということと、公園にエルちゃんがいることは互いに独立なのです。

ごちゃごちゃに見えたことのなかには突然、規則性が見つかることがあります。このようなことを、セレンディップという国の王子様が、すばらしいことを偶然にいろいろ発見するという昔話にちなんで**セレンディピティ**と言います。

なお、**疑似乱数**は、**乱数**がもつべき、乱数の値と関係がある説明変数は決して見つからないという性質を持たないので、本当の乱数ではありません。説明変数が決して見つからないのが本当の乱数で、疑似乱数は説明変数を見つけるのが非常に難しいだけというわけです。なので、**図7-4**のキャプションに「本当の乱数で作られたのではないデータ」と書いたのです。

第8話 ハチの知能を調べる――仮説と実験

ユウがつまらなそうに机につっぷしています。机の上を見ると、何やら棒グラフのようなものが描きかけになっています。


「何のグラフを描いてるの？」

「クラスのみんなの身長。宿題なんだ」

「なるほど。でも、あまり楽しそうじゃないね」

「だっておもしろくないんだもの」

「そうかい？　他のクラスと比べて高いか低いかとか、わかりやすくなるじゃないか」

「そんなことは、グラフなんか描かなくったってわかってる。いつもバレーボールじゃ、こてんぱんにやられてるんだから」

そりゃつまらない仕事にちがいありません。決まりきったグラフを描くのに、一生懸命になれないのはあたりまえです。

でも、グラフの描き方は1通りしかないということではありません。グラフというのは頭のなかの考え(仮説)を目に見えるようにするもので、いろいろな描き方があるのです。この章では、ハチの知能を調べた「研究論文」の例で、グラフが仮説の正しさを調べるときの便利な道具になることを示します。研究論文と聞いてみなさんがひるむのが目に見えるようですが、これからお話しすることを、ユウはおもしろがって聞きました。きっと読者のみなさんにも、おもしろがっていただけるでしょう。

ブラックオートンの子どもたちが論文を書いた

イギリスのブラックオートンという町の8～10歳の小学生25人が、2人の先生と書いた論文が、一流の学術雑誌に掲載されました。

「学術雑誌」というのは、生物学とか、物理学とか、経済学とかの研究者が研究の結果わかったことを広く知らせるためのものです。研究者が発見したことを書いて「投稿」すると、編集者が読んで審査（「査読」と言います）して、みんなに読んでもらう価値があると判断されたものが掲載されます。

「査読」では、すでにだれかが報告したことと同じことではないかとか、ちゃんとした証拠がそえられているかなどを査読者（レフェリー）が調べるのです。もっとちゃんと書いて出し直すように頼まれる場合もありますが、その価値がないと判断されて掲載を断られることも少なくありません。

子どもたちが考えたこと

さて、このイギリスの子どもたちは、ミツバチたちが蜜をもった花を見つけたときに、その花をどうやって覚えているのか調べる実験をして、わかったことを論文に書いたのです。子どもたちがした実験は、次のようなものでした。

実験

子どもたちは縦横高さそれぞれ1メートルのプラスチックの箱を用意して、その内側の1つの側面に、**図8-1**に示すような64の「花」を並べた「花畑」を用意しました。「花」それ

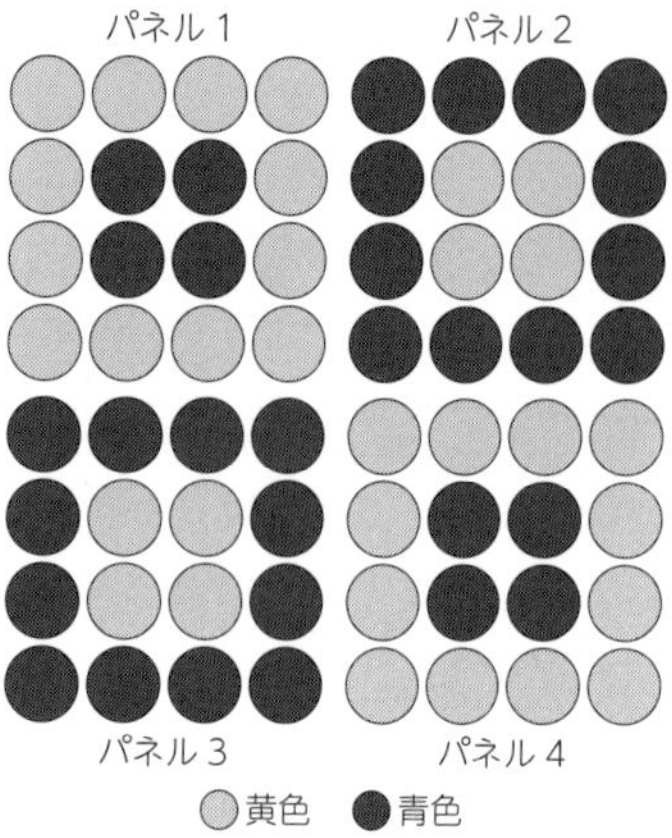

ぞれの中心からプラスチックの短い棒がつきだしていて、その棒には小さなくぼみがあります。くぼみには砂糖水や塩水を入れられます。蜜が大好きなハチたちは砂糖水も好きなのです。

最初にハチたちはこの箱のなかでまずトレーニングされて、それからテストされました。トレーニングは、4つのブロックそれぞれの中央の4つの花にだけ、砂糖水を置いて行われました。ハチたちはこの状態のプラスチックの箱で4日間を過ごしました。前半の2日間は

花畑は左上，右上，左下，右下に，それぞれ 16 ずつの「花」がある4つのブロックに分割されています．各ブロックには，縦に4つ，横に4つの花が並べられていました．「花」といっても本物の花ではなく，黒くぬられたアルミの板に開けた直径8センチの丸い穴に，青や黄色の透明板をはったものがバックライトで照らされているというものです

図 8-1 最初の実験で使われた「花畑」[P. S. Blackawton, S. Airzee, A. Allen 他，Blackawton bees, Biol. Lett. (2010) 7, 168–172 より作図]

各ブロック外側の12個の花には何もありませんでしたが、後半の2日は塩水が置かれました。

4日間のトレーニングが済むと、すべての花にただの真水が置かれました。そしてその箱のなかに、ハチが1匹ずつ放たれました。トレーニング中は各ブロックの中央の花に行けば砂糖水があったのですが、テストのときはどの花に行ってもそこにあるのはただの水です。つまり、トレーニング中は砂糖水のにおいに導かれるということもありえましたが、それもない状態でテストされたわけです。

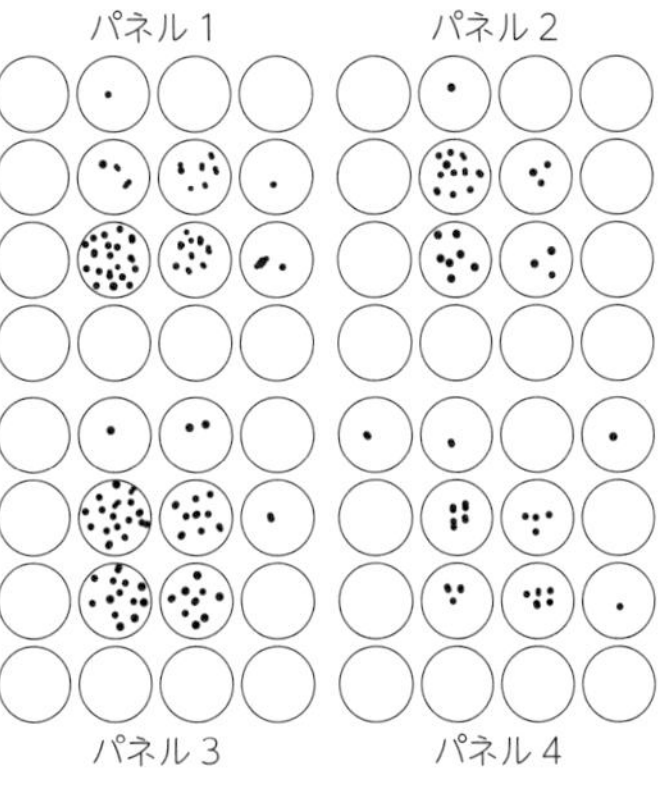

すべての花に真水が置かれたテスト期間中に，ハチがとまって砂糖水を吸おうとした花に点が打たれています

図8-2　ハチが砂糖水を吸おうとした花
[P. S. Blackawton, S. Airzee, A. Allen 他, Blackawton bees, Biol. Lett. (2010) 7, 168-172 より作図]

テストでは、ハチが花にとまってはそこを離れて別の花に行く様子が観察されました。そのときに、ハチがとまった花を記録したのが図8-2です。

ハチが花に群がっているような図ですが、論文には「ハチは1匹ずつ箱に入れられ、そのハチが砂糖水を吸いに行った花を記録してから、別

$$\text{トレーニング時に砂糖水があったところにハチが行く確率} = \frac{\text{砂糖水があったところに行ったハチの数}}{\text{調べたハチの数}}$$

図 8-3　ハチが，トレーニング時に砂糖水があった場所に行く確率を計算する式

のハチを入れた」と書かれています。仲間のハチがどの花を選んだのか、わからないようにしてテストしたのです。

集計

このデータから、ハチがトレーニング期間中に砂糖水があった花に行った確率が計算できます。図8-3に書いた式で計算するのです。この式の右辺では「行った」とか「調べた」という過去形が使われています。実験結果を集計して計算する値だからです。左辺は確率です。「同じような実験をやれば、こんな確率でハチは砂糖水があった花に行くだろう」と考えるのです（図8-4）。

子どもたちはこの結果を見て、「ハチたちは、トレーニング期間中に砂糖水のあったところを覚えていた」と考えました。

ここで一休み。私はユウに聞きました。

「ユウもそう思うかい?」

「そう思うよ。だれだって、そう思うと思う」

「だれだって、そう思うと思うと思うわけだ」

「何それ?」

「いや、なんでもない」

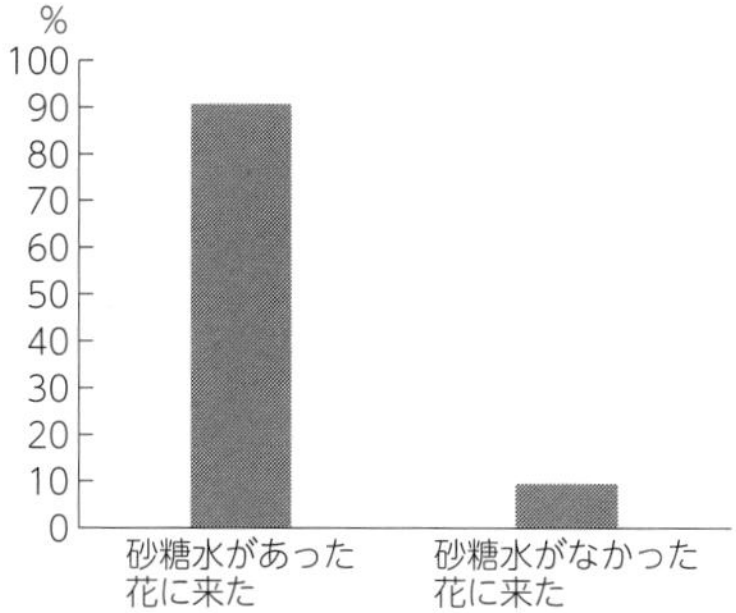

%
100
90
80
70
60
50
40
30
20
10
0
砂糖水があった花に来た
砂糖水がなかった花に来た

図 8-4　ハチが，トレーニング時に砂糖水があった場所に行く確率

ハチが考えていること

たしかに、ハチが砂糖水のありかを覚えていたのは、これで証明できました。私なら「統計的に証明された」というところです。次の問題は、ハチがどうやって覚えていたのかということです。

新しい実験

トレーニング中、砂糖水は4×4のブロックの中央の4つの花に置かれていたので、花の「位置」で覚え

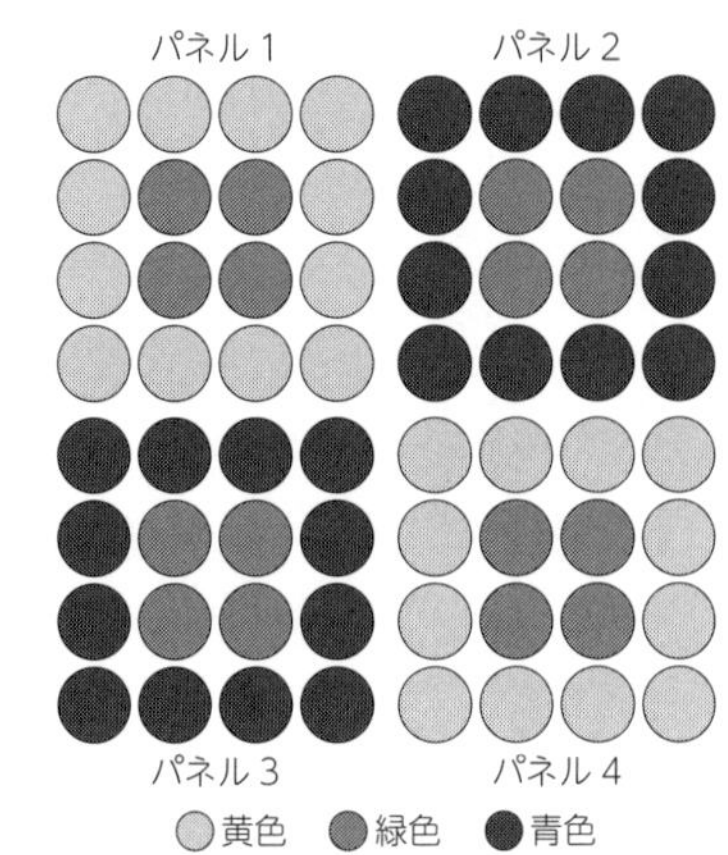

中央の「花」の色を緑に変えたテスト用「花畑」

図 8-5 「花畑」II [P. S. Blackawton, S. Airzee, A. Allen 他, Blackawton bees, Biol. Lett. (2010) 7, 168–172 より作図]

表 8-1 花畑IIによる実験結果

緑	黄色	青
34	37	39

ることが可能でした。そこで、砂糖水がある花を位置で覚えていたのかどうかを調べる実験が行われました。**図8-1**の「花畑」でミツバチを訓練しておいて、**図8-5**のような真ん中を緑に変えた「花畑」でテストして、ハチたちがどの花に来るか調べたのです。最初のテストと同様、どこにも砂糖水はありません。すべて真水です。

ハチたちが花の色ではなくて場所で覚えていたのだったら、この「花畑」でも、真ん中にある緑の花に来ることでしょう。結果は**表8-1**にまとめてあります。

$$\frac{34}{34+37+39} \fallingdotseq 0.31(=31\%)$$

図 8-6　花畑Ⅱで，トレーニング時に砂糖水があった場所に行く確率の計算

分析

表8-1のデータに図8-3の確率計算式を適用すると図8-6のように計算され、この結果を棒グラフで表わすと図8-7が得られます。これらの結果を見た子どもたちは、図8-7は図8-4とまったく違い、むしろ図8-8の方に似ていることに気づきました。

でたらめに花を選ぶハチが、砂糖水があった場所に行く確率は25％です。25％なのは、図8-5には全部で64の花があり、そのなかで砂糖水があった場所(緑の花)は16、つまり全体の4分の1だからです。

結論

図8-4のグラフからハチが砂糖水のある場所を覚えられることがわかり、図8-7のグラフからハチが行くべき花をその位置だけで覚えているのではないことがわかりました。花の色を変え

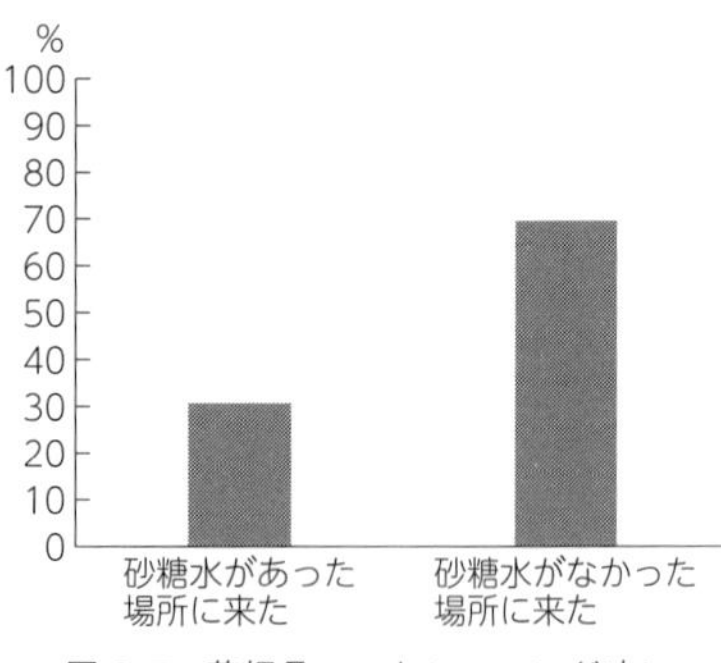

図 8-7　花畑Ⅱで，トレーニング時に砂糖水があった場所に行く確率

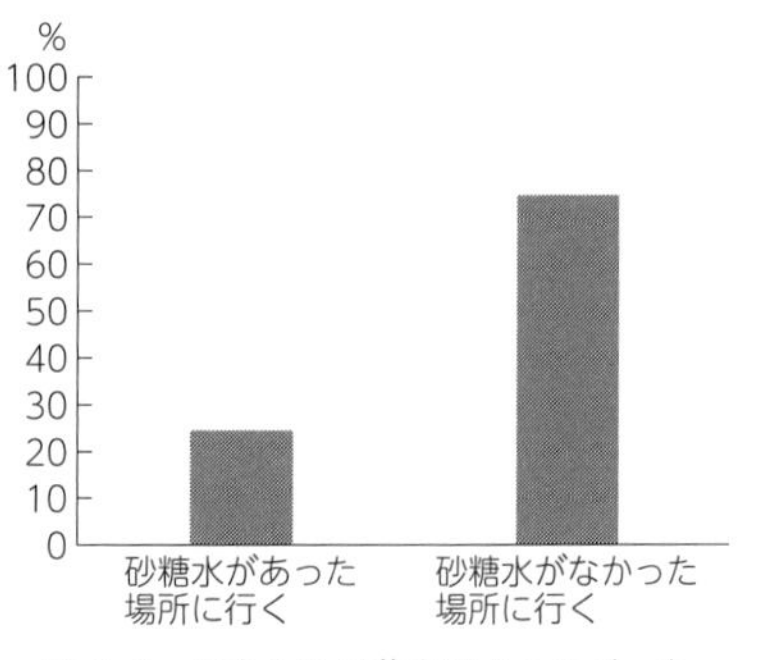

図 8-8　でたらめに花を選ぶハチが，たまたま砂糖水があった場所に行く確率

ると、砂糖水があった場所がわからなくなったことから、花の色も手がかりの一部になっていることがわかったのです。つまり、ハチたちは色が違う花の並び方が作る形(パターンといいます)を見ていたのです。

子どもたちはこんなふうに書いています。「ハチがどの花に行くか決めるのに、花たちが作るパターンの形を利用できることがわかりました。つまりハチはすごくかしこい。だってパターンを覚えられるんだもの」。

　また、こんなふうにも書いています。「この実験は重要なんです。だって今までだれも、大人だって、こんな実験をしたと聞いたことがありませんから」。この論文が雑誌に掲載されたということは、編集長もレフェリーもそれを認めたということです。

　子どもたちの研究で、ハチが青い「花」が黄色の「花」を囲んでいるパターンと黄色い「花」が青い「花」を囲んでいるパターンを覚えて、蜜のある花の位置を覚えられるらしいことがわかりました。ここまでわかると、黄色い「花」に囲まれた青い「花」に蜜があることを学んだミツバチが、青い「花」に囲まれた黄色の「花」にも蜜があると思うようになるのだろうか?とか、もっと知りたくなりますが、この論文を読んでもわかりません。しかし、子どもたちの実験方法が間違っていたということではなく、彼らの実験をさらに精密化することによってハチの知能についてもっと精密な知識が得られる見込みがあるということです。


　ユウがめずらしく机で何やらしています。

「何してるんだい?」

「棒グラフ描いてるの」

「どんなグラフ？」
「大人たちって、子どもにいろいろ言うけど自分たちでどんなことしてるのかなっていうグラフだよ」

問題コーナー

もしも図8-7が図8-4に似ていたら、ハチは砂糖水があった花を場所で覚えていたことの証拠になったでしょうか？

【解答例】 もしもハチが緑色をものすごく好きだったら、図8-7と図8-4が似ている結果がでたでしょう。だから、そんな結果が出たら、ハチが緑色にどう反応するかを調べる実験が必要になったでしょう。「幸い」、図8-7と図8-4が似ていなかったので、その必要はありませんでしたが。

統計学的には

データがどんな分布をするのか、データとデータの間に関係があるのかないのか、関係があるとしたらどんな関係なのかを調べるのが統計学です。データが手に入るのをただ待っているばかりでなく、必要なデータを得るための実験を工夫することがあります（**実験計画**と言います）し大切です。データを説明できる仮説が２つ以上考えられるとき、そのどちらがよりよい仮説であるかを決めるには、仮説の違いをうきぼりにするようなデータをとる実験を考えます。

ブラックオートンの子どもたちは最初の実験でハチが蜜のあった場所を覚えていられることを知りました。でもこの実験の結果はハチたちが蜜のありかを「花」の位置で覚えているという仮説と、「花」の色が作る**パターン**で覚えているという仮説のどちらでも説明できるものだったので、子どもたちは２つの仮説を区別できるようなデータがとれる２番目の実験を工夫したのです。

図８-７と**図８-４**が似ていないことが、ハチは砂糖水があった花を位置で覚えていたという仮説が正しくないことの証拠になります。そして「花」が作るパターンとハチの行動の間に関係があることの証拠になります。**図８-７**と**図８-８**が似ているということから「花」のパターンを変えると、ハチがまぐれでしか砂糖水のあった花に行けなくなるらし

いことがわかります。

確率分布（かくりつぶんぷ）が似ているか似ていないかという形の問題は、統計学のいろいろなところに出てきます。似ているか似ていないかＡＩＣのような計算で求められる数値にたよって決める方法がいろいろ工夫されていますが、この章でやったように、棒グラフを描いてながめて比べるだけで十分な場合が少なくありません（もとの論文では棒グラフを描かずに、表を使って説明していますが、その表の内容を棒グラフの形にして紹介しました）。

第9話

保険は助け合い――大数の法則

「ホケンってなんなの？」

突然、ユウが言い出しました。

「ホケン体育のホケンかい？」

「違うよ。じいが車を電柱にぶつけたときに使うホケン」

人聞きの悪いことを言うユウです。私だって車に乗るたびに電柱にぶつかるわけではありません。たまに起きる事故です。そのたまに起きる事故のときに、へこんだ車を修理する費用を払ってくれるのが保険です。

こんなふうに車の修理費用を払ってくれる保険のほかに、病気になったときの治療費を払ってくれる保険がありますし、家が火事で焼けてしまったときの再建費用を払ってくれる保険もあります。船が嵐にあって沈んでしまったときに払ってくれる保険もあります。

ゴルフでホールインワンを出すと、お祝いの会を開いて知り合いを招待しなくてはいけないというので、そんなときの費用を払ってくれる保険まであると聞いたことがあります。

保険とは、予定外の大金が必要になったときにお金がもらえるものなので、いろいろなことが起きる世のなかで安心して暮らしていくために、なくてはならないものだといっていいでしょう。

保険というものが発明されたのは、イタリアだそうです。ではここからは、そのイタリアのヴェニスを舞台にしたシェイクスピアの「ヴェニスの商人」というお芝居の物語を使って保険について説明しましょう。

アントニオとバッサーニオの計画

時は15世紀、ヴェニスにアントニオというお金持ちの貿易商人がいました。

そのアントニオの友人バッサーニオが、ポーシャというお嬢さんと結婚したいと考えました。バッサーニオの計画では、6月5日にポーシャが住んでいるところに行って求婚しようというのです。

そのためのお金をアントニオから借りようと考えたのですが、アントニオは5月1日にお金を全部商品にかえて船に積んでしまっていました。船に積んだ商品を売ったもうけを積んだ船が帰ってくるのは7月30日の予定でした。そこで、アントニオは友人のために、シャイロックという金貸しから借金をすることにしました。6月1日に3000ダカットを借りて8月31日に返す約束です(図9-1)。

アントニオの船が計画通りに戻って来れば、シャイロックにお金を返すのに間に合い、シャイロックは貸したお金の利息がもうかって幸せになり、バッサーニオとポーシャは結婚し

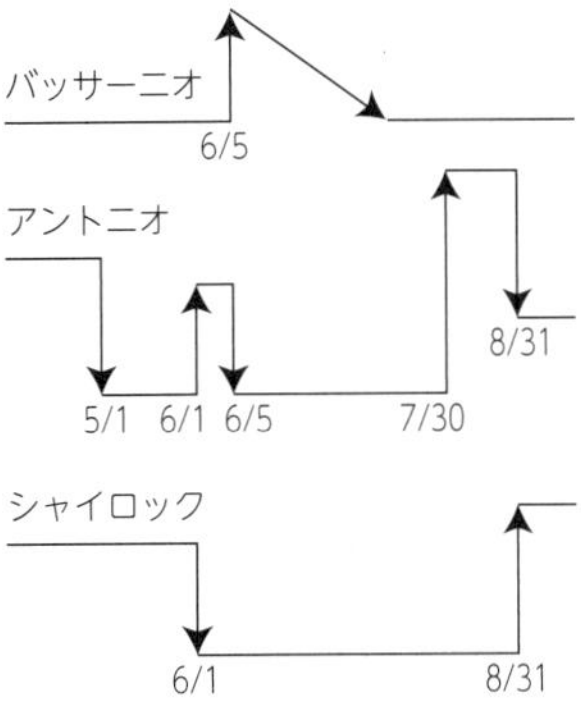

この図はアントニオとバッサーニオとシャイロックが持っているお金のたかが時の経過とともにどう増減するかを示したものです．それぞれが持っているお金が増えたときが上向きの矢印，減ったときが下向きの矢印で表わされています．上向きと下向きの矢印が同じ日に描かれているのはだれかがだれかにお金を渡すことを表わしています

1：6月1日アントニオがシャイロックから3000ダカット借りる
2：6月5日アントニオがバッサーニオに3000ダカット貸す
3：7月30日アントニオの商品が売れて10000ダカット手に入る
4：8月31日アントニオがシャイロックに3300ダカット返す(利息分を加えて，借りた額より多く返す)

図9-1 アントニオの計画したお金の流れ

て幸せになり、アントニオも友だちが幸せになって、だれもが幸せになるはずでした。

アントニオの船が難破

バッサーニオとポーシャは計画通り結婚して幸せになったのですが、7月30日にアントニオの船が難破してしまいアントニオは無一文になってしまいました。8月31日にシャイロックにお金を返すためのお金が手に入らなくなってしまったのです。シャイロックも貸したお金が戻らず大損してしまったのです。

シェイクスピアのお芝居では、シャイロックとの契約にとんでもないことが書いてあって大変なことになり、ポーシャが大活躍するのですが、それについてはいつかお芝居を見てください。

ここでは、もしアントニオが保険に入っていたらどうなっただろうかと考えてみます。

もしもアントニオが保険に入っていたら

アントニオが、船が出港する5月1日に保険会社と保険契約を結んで、保険料を払い込んだとしましょう。図9-1の5月1日のアントニオの支払いは商品を仕入れるためのものでした。図9-1にはこれに短い矢印がつけ加えられています。アントニオから保険会社への保険料の支払いの分です。そのあとで船が沈んで、7月30日に保険会社からアントニオに保険金が支払われました。このお金でアントニオは破産せずにすんで、8月31日にシャイロックにお金を返しました。シャイロックは貸したお金の利息がもうかって幸せになり、バッサーニオとポーシャはとっくに結婚していましたからみんな幸せになり、めでたしめでたしとなります。

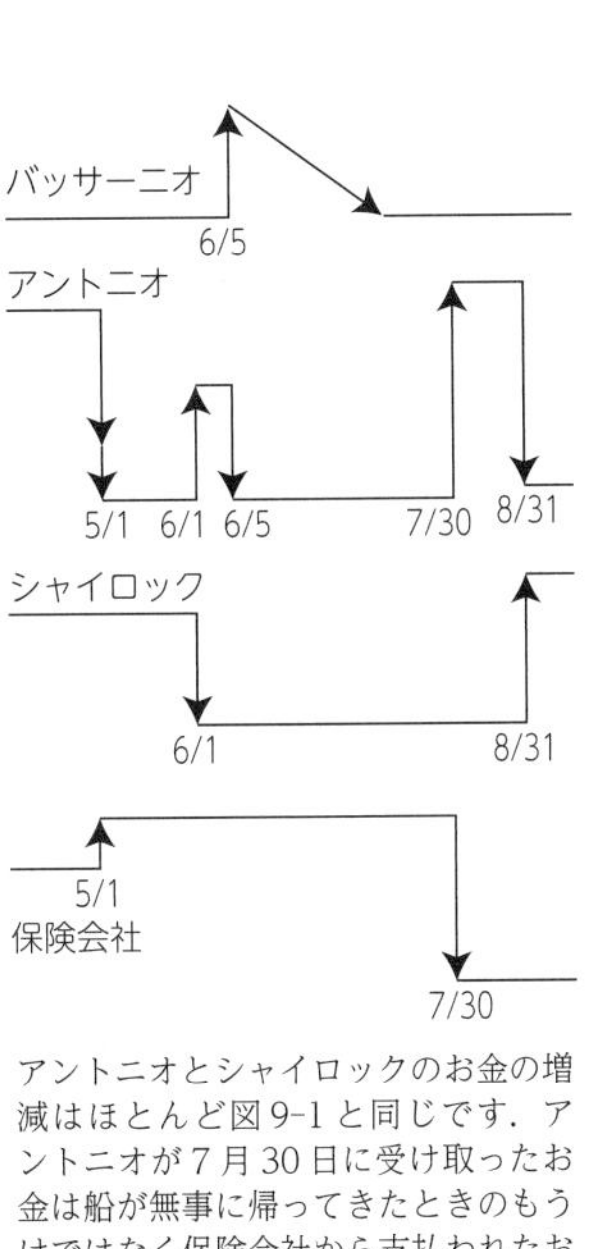

アントニオとシャイロックのお金の増減はほとんど図9-1と同じです．アントニオが7月30日に受け取ったお金は船が無事に帰ってきたときのもうけではなく保険会社から支払われたお金ですが，シャイロックにとってはどうでもいいことです

図9-2 アントニオが保険をかけていたときのお金の流れ

「本当に、めでたしめでたしなの?」ユウが首をかしげました。

図9-2をよく見ると、保険会社が大損をしているというのです。アントニオが払った保険料より

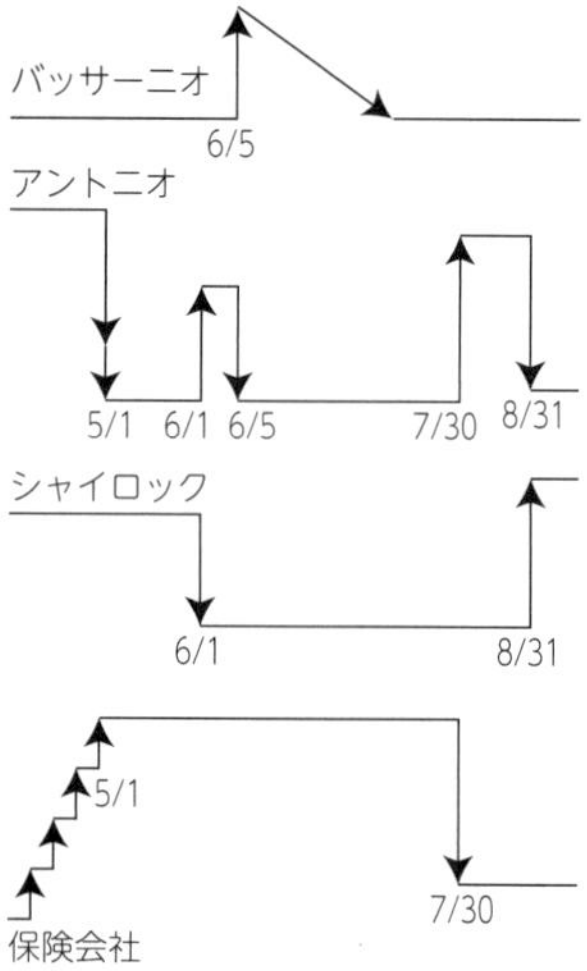

もはるかに多い保険金を支払って、損をしているのです。

保険会社のしくみ

「大丈夫。図9-3を見てご覧」と私は言いました。

バッサーニオ
6/5
アントニオ
5/1 6/1 6/5 7/30 8/31
シャイロック
6/1 8/31
5/1
7/30
保険会社

保険会社はアントニオだけでなく大勢と保険契約を結んでいます．アントニオとの契約では損をしていますが，みんなが難破するわけではありません．難破しなかった他の契約者たちには保険金を支払う必要がないので，全体としては，保険会社は損をしていません

図 9-3　お金の出入り全体

保険会社はアントニオだけでなく、ほかの大勢の人とも保険契約を結んでいます。アントニオの船は難破しましたが、その他の難破しなかった人との契約では利益をあげています。契約1件1件の保険料の額は小さくとも、そういう契約の数が多いので、全体として保険会社はもうかるのです。

その理由を説明しましょう。保険契約を結んだ保険会社は、事故が起きたら大損すると思ってはらはらどきどきするのです。くじのわくわくの度合が変動係数（へんどうけいすう）で表わされるのと同じ

表 9-1　保険会社の利益

契約数	利益期待値	標準偏差	悲観的予測	楽観的予測	変動係数
1	50	2985	−5920	6020	59.699
100	5000	29850	−54699	64699	5.970
10000	500000	298496	−96992	1096992	0.597
1000000	50000000	2984962	44030075	55969925	0.060
100000000	5000000000	29849623	4940300754	5059699246	0.006

契約数に応じて利益(単位ダカット)がどう変わるか見た表ですが，マイナスは損失．変動係数が大きい場合に損失が出る可能性が高いことがわかります

ように、保険会社のはらはらどきどきの度合はその保険の変動係数で測ることができます。

たとえば、船が難破したときに保険金３０００００ダカット支払う保険を、３５０ダカットの保険料で売る会社があったとしましょう。船が難破する確率が１％だとすると、１契約あたりの利益の平均は50ダカット。標準偏差は２９８５ダカットになり、変動係数は５９・７になり、スクラッチくじの変動係数より大きくなります。保険会社は大損をする可能性があるということです。

しかし、くじのときにはくじを何枚も買うと変動係数が小さくなって、わくわくの度合が減っていきました。保険の場合には契約の数が増えるにしたがって変動係数が小さくなり、保険会社のはらはらどきどきの程度は小さくなります。

契約数が１００倍になると会社の利益の平均は１００倍になりますが、標準偏差の増加は10倍にとどまります。どれくらい難破が起きたかによりますが、保険会社の実際の利益が平均より標準偏差の

2倍以上下がることはめったにありません。

表9-1の「悲観的予測」は、平均から標準偏差の2倍を引いた金額です。この悲観的予測の値がマイナスであることは保険会社が破産する可能性があることを意味し、プラスであることはその危険がほとんどないことを意味します。契約数がすごく多くなればはらはらどきどきする必要がなくなり、安心して商売ができるようになるのです。

くじや保険のように、ひとりひとりにとってはいい結果と悪い結果のどちらが出るか運まかせのことには、全体としての損得の合計は人数が多くなるにしたがって運まかせでなくなるという性質があります。「大数の法則」と呼ばれる法則です。

これで、バッサーニオとポーシャはアントニオのおかげで結婚できて幸せになり、アントニオは保険のおかげで破産せずにすみ、シャイロックは貸したお金の利息がもうかって幸せになり、保険会社も大数の法則のおかげで損をしないですみました。めでたし、めでたし。

「でも他の人たちは保険料払ったのに、何ももらえないんでしょ?」

「そりゃそうだけど、船がぶじに戻ってきてうれしいんだから、いいんじゃないかな。商売がうまくいっているときに、困っている友だちを助けるのは、あたりまえなんじゃないかな」

「それ、どういうこと？」

保険は助け合い

保険を「助け合い」と考えることができるということを説明しましょう。アントニオの友だちの商人仲間３人も、同じ保険会社と契約を結んで保険料を払っていたとします。

さらに、アントニオに支払われた保険金の額が、この３人が払い込んだ保険料の合計額と等しかったとします。たとえば、アントニオたち４人がそれぞれ、３５０ダカットずつ保険会社に保険料を支払い、保険会社が保険金１４００ダカットをアントニオに支払ったものとしましょう。

この場合、保険会社は１４００ダカット受け取って１４００ダカット支払っているので４件の契約はなかったのと同じことになります。アントニオは最初に３５０ダカット支払って１４００ダカット受け取るので、正味(しょうみ)１０５０ダカットの受け取りです。船が難破しなかった３人の仲間たちの財産は商売のもうけで増えていますが、それぞれが保険会社に支払った３５０ダカットだけ減っています。

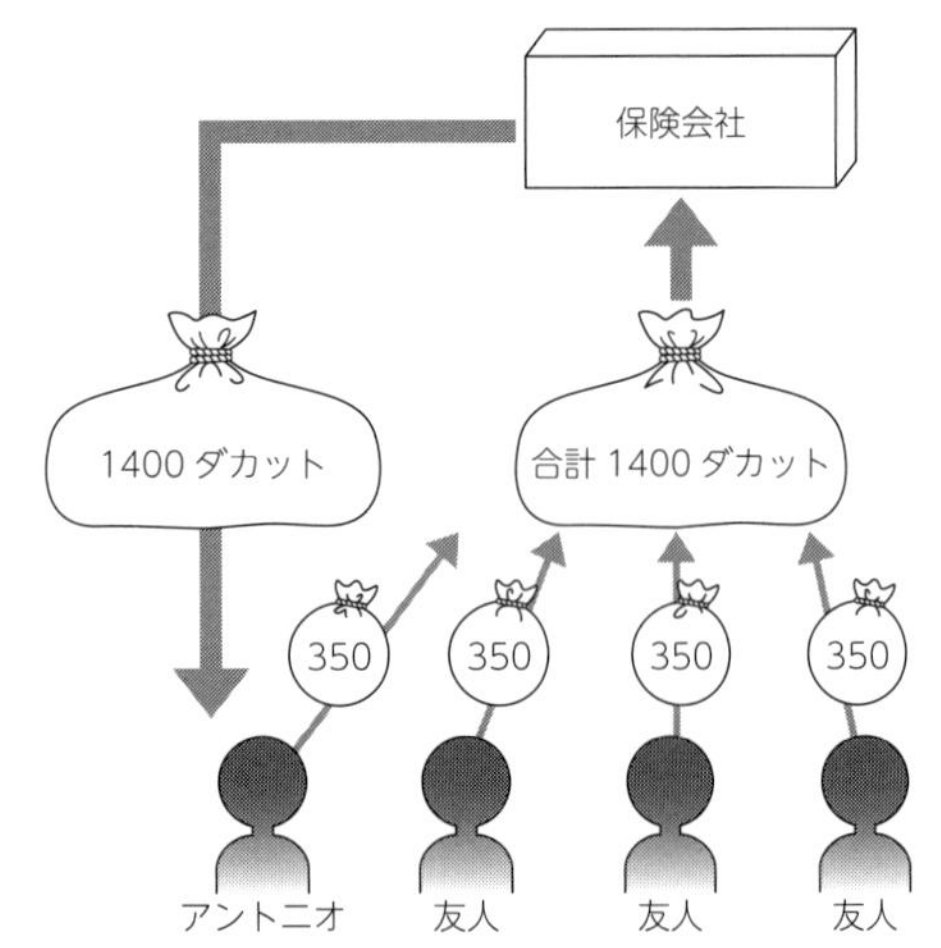

アントニオに支払われた保険金は「もともとアントニオの友人たちが支払った保険料を，保険会社があずかっていたもの」と考えることができます

図9-4　助け合い

このお金の増減は、アントニオの船が難破したことを知った友人3人が、それぞれのもうけのなかから350ダカットずつ出し合って、アントニオを助けたときのお金の増減と同じことになります。お金がどこからどこに動いたか、だけを見ると図9-4のようになります。

親しい仲間での助け合いは、親しい人がそう大勢いるはずもないので、あまり大きな金額にはならないでしょう。保険は見ず知らずの大勢の人たちがいつのまにか互いに助け合っているのです。

保険会社の競争

表 9-2　ギリシャ航路専門保険会社 B の利益

契約数	利益期待値	標準偏差	悲観的予測	楽観的予測	変動係数
1	60	2673	−5285	5405	44.542
100	6000	26725	−47451	59451	4.454
10000	600000	267253	65495	1134505	0.445
1000000	60000000	2672527	54654946	65345054	0.045
100000000	6000000000	26725269	5946549462	6053450538	0.004

難破の確率が低いギリシャ航路だけに限ると，変動係数が低くなるために保険会社としては保険料を安くしても利益を上げやすくなるのです

最後に、保険会社がひとつだけでないときのことを考えておきましょう。

ヴェニスとイギリスを結ぶ航路では船が難破する確率が2％で、ヴェニスとギリシャを結ぶ航路では船が難破する確率が0.8％だったとします。そしてイギリスに行く船とギリシャに行く船の数の比が1対5だとします。

この場合、ヴェニスから出港する船が難破する確率は1％ですから、すべての船に、難破したとき30000ダカット支払われる保険を350ダカットで売るという保険会社Aは、契約数が100万あれば十分にやっていけます。

しかしもし、ギリシャに行く船に限って30000ダカットの保険を300ダカットで売るギリシャ航路専門保険会社Bが現われて、営業をはじめたらどうなるでしょう（表9−2）。

ギリシャに行く船は、すべてこのかけ金が安い方の保険会社Bの保険を使うことになるでしょう。もし、保険会社Aの契約数が10

０万だったとすると、その６分の５はギリシャ航路の船ですから、この保険会社に残る契約はイギリス航路のものだけになってしまいます。

イギリス航路の船の難破確率は２％ですから、この航路に行く船に３００００ダカットの保険を３５０ダカットで売っては、採算がとれなくなります。保険料を７００ダカットくらいに上げなくてはならないでしょう。


「どう思う？」

「ギリシャに行く船を持っている人とイギリスに行く船を持っている人が、友だちじゃなくなっちゃったみたい」


そうなのです。この例では、遭難する確率が２％の人と0.8％の人の間の助け合いが難しくなることを示しています。

たとえば、遺伝子診断の技術が進んで、ある病気にかかる確率が30％の人と0.1％の人が見分けられるようになった場合に、保険会社Ｃは保険料が安いけれど重い病気になりそうな人とは契約しない。そういう人とも契約する保険会社Ｄの保険料は高い——ということが起きることが考えられます。

あなたは安い保険に入れますが、友だちは重い病気になる可能性が高いので、保険料の高い保険にしか入れなくて困るかもしれません。さあ、そんなときにあなたはどうします？

自分が少しだけ高い保険料を払うことで、友だちを助けてあげられるかもしれない。逆に、友だちは安い保険に入れても、あなた自身が重い病気になる可能性が高いと診断されて、保険料が高い保険にしか入れないとしたら……。

問題コーナー

保険会社が、事故が起きる確率、事故率の見積もりを間違えると、どんなことが起きるでしょう？

【解答例】 実際より低く見積もってしまうと、予定していたより多く保険金を支払わなくてはならなくなって保険会社がつぶれてしまうかもしれません。実際より高く見積もってしまうと保険料を高くしなくてはならず、正確に事故率を見積もった保険会社にお客をとられて、保険会社がつぶれてしまうかもしれません。

統計学的には

保険会社は統計学の**大数の法則**をうまく利用しているということができます。大数の法則というのは「**互いに独立**にでたらめな出方をするデータの**算術平均**はデータ数が大きくなるにしたがってデータの**期待値**に近づく」というものですが、期待値がゼロでない場合にはデータの算術平均の変動係数が計算できて「データの算術平均の変動係数はデータ数が増えるにしたがっていくらでも小さくなる」ということと同じです。

保険会社は**保険料**を払って保険契約を結んだ契約者が事故にあったときに**保険金**を支払って損をするのですが、もうけの期待値がプラスになるように保険料を決めているので、大勢の人が互いに独立に事故にあうのなら、保険金を支払うお金が足りなくなる心配をしなくてすむのです。

大数の法則と保険のかかわりはそれだけではありません。保険料をきちんと定めるためには、事故が起きる確率を正確に見積もることが大切ですが、それができるのも、じつは、大数の法則のおかげなのです。

第10話

ヒッグス粒子の発見——仮説検定

ユウがいきなり背中にとびついて来て眼鏡が飛びました。

「何見てたの？」

私が見ていたのはこんな絵でした（図10−1）。

ヒッグス粒子の存在を証明したアトラス実験の紹介資料．高速で陽子と陽子を衝突させた実験の様子を示した図です

図10−1　アトラス実験
（提供：アトラス実験）

「これ何？　花火？　なんか不思議」

「おまえさんがなぜこんなに重たいのか理由がわかった、という絵だよ」

「ぜーんぜんわかんない」

それで、私はこんな話をしました。

原子から素粒子(そりゅうし)へ

この世のなかのものを細かくくだいていくと、原子という粒になります。その原子が100種類以上もあって、似ていたり似ていなかったりします。そのことに頭を悩ませていた科学者たちは、やがて「こんなにたくさん原子があるのは、電子と陽子と中性子というもっと小さい粒子がいろいろな組み合わせを作って、原子を形づくっているからだ」ということに気づきます。結局、3種類の粒子があれば、世のなかのものはすべてできるのだということになりました。

ところが「陽子とか中性子がもっと細かく分かれるのだ」ということがわかってきました。科学者たちは陽子や中性子をさらに分解することに熱中しました。そうしたら出るわ出るわ、今まで見たこともない粒子がわんさと出てきたのです。

科学者たちはいろいろな原子が3種類の粒子の組み合わせで説明できたことを思い出して、わんさと出てきた細かい粒子がもっと細かい粒子(素粒子)の組み合わせでできているに違いないと考えました。

そしてようやく、16種類の素粒子を考えれば、すべての粒子が説明できる理論を考えだしました（標準モデルと呼ばれています）。素粒子16種類のなかの2つは、電子と光子です。陽子は素粒子ではありません。陽子はアップクォークと呼ばれる素粒子2つと、ダウンクォークと呼ばれる素粒子1つで構成されているのです。

質量がない？

ただし、標準モデルには困ったことがありました。標準モデルの考えが正しいとして、その考えを推し進めると、多くの粒子が質量を持たないことになってしまうはずなのです。ものにはすべて質量があって、たとえば、質量が大きい釣鐘（つりがね）はちょっとやそっと押してもなかなか動かないけれど、風鈴（ふうりん）はちょっと風が吹けば動く。質量がないというのは、ちょっとでも力が加わるとあっというまに無限のかなたまで飛んで行ってしまうということで、質量を持たない粒子が集まって、人間になったり眼鏡になったりするはずがないのです。

これは、理論としては大変な欠点でした。けれど、ほかのことがあまりにもうまく説明できるので、科学者たちはこれが標準モデルが間違っている証拠と考えたくありませんでした。

ヒッグス粒子仮説

やがてヒッグス、ブロウト、アングレールという3人の物理学者が「素粒子に力が加わっても簡単に動かないのは、何かが素粒子が動くのを押しとどめているからだ」と考えればいいと思いつきました。「空間に素粒子の動きを押しとどめる作用がある」と考えるのです。

こんな性質を持った空間について詳しく調べてみると、この空間で粒子を超高速で衝突させると、今までだれも知らなかった新しい(17番目の)素粒子が発生するはずだということがわかりました。このような粒子はまだ見つかっていなかったのですが、科学者たちはこの粒子に「ヒッグス粒子」という名をつけ、この粒子を発生させる空間を「ヒッグス場」と呼ぶことにしました。そして、超高速で粒子を衝突させる実験を始めました。

もしもヒッグス粒子が見つかれば標準モデルが変だと言えなくなるのです。私が見ていた絵は、ヒッグス粒子が発生するにちがいない速度で陽子と陽子を衝突させたときの、実験結果を示した図でした。

「そしてヒッグス粒子の写真がとれました。めでたし、めでたし」とユウが言いました。

「残念ながらヒッグス粒子は写真に写らない」

ヒッグス粒子の証拠

残念ながらヒッグス粒子は生まれてすぐに消えてしまい、写真がとれるようなものではないのです。科学者はすぐに消えてしまうヒッグス粒子が「足跡」を残していくのではないかと考えました。

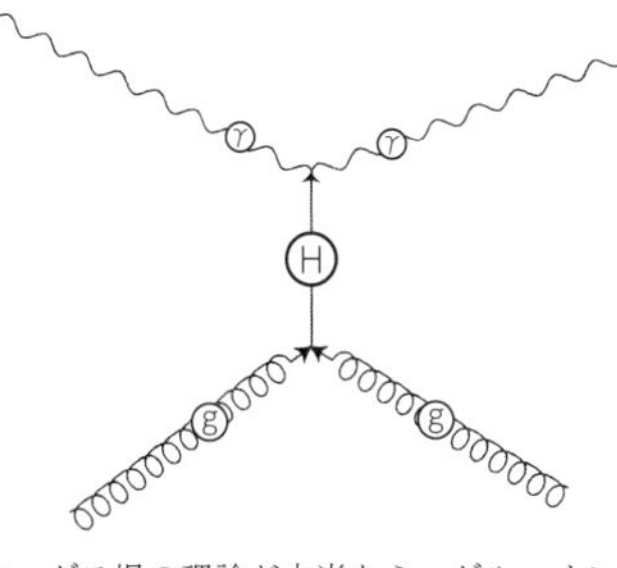

ヒッグス場の理論が本当なら，グルーオン(g) 2つが衝突したときにヒッグス粒子(H)が発生することがあります．そのヒッグス粒子はすぐに崩壊しますが，崩壊するときに光子(γ) 2つを発生します

図 10-2　ヒッグス粒子の発生と足跡

陽子は前に書いたように、アップクォーク2つと、ダウンクォーク1つでできているので、陽子と陽子の衝突は、実は3つのクォークと3つのクォークの衝突です。この衝突でクォークからグルーオン(g)という粒子が放出されることがあります。そのグルーオン2つが衝突してヒッグス粒子(H)というエネルギーのかたまりが発生して崩壊します。粒子というのはエネルギーのかたまりなのです。ヒッグス粒子が崩壊するとそのエネルギーが光子(γ)2つに変わり

ます（図10-2）。ヒッグス粒子を直接見ることはできませんが光子は見えます。

「ヒッグス粒子が出した光が写真にとれて、ヒッグス粒子ができたことがわかりました。めでたしめでたし」ユウが言いました。

「そうだといいんだけどね」

「そうじゃないの？」

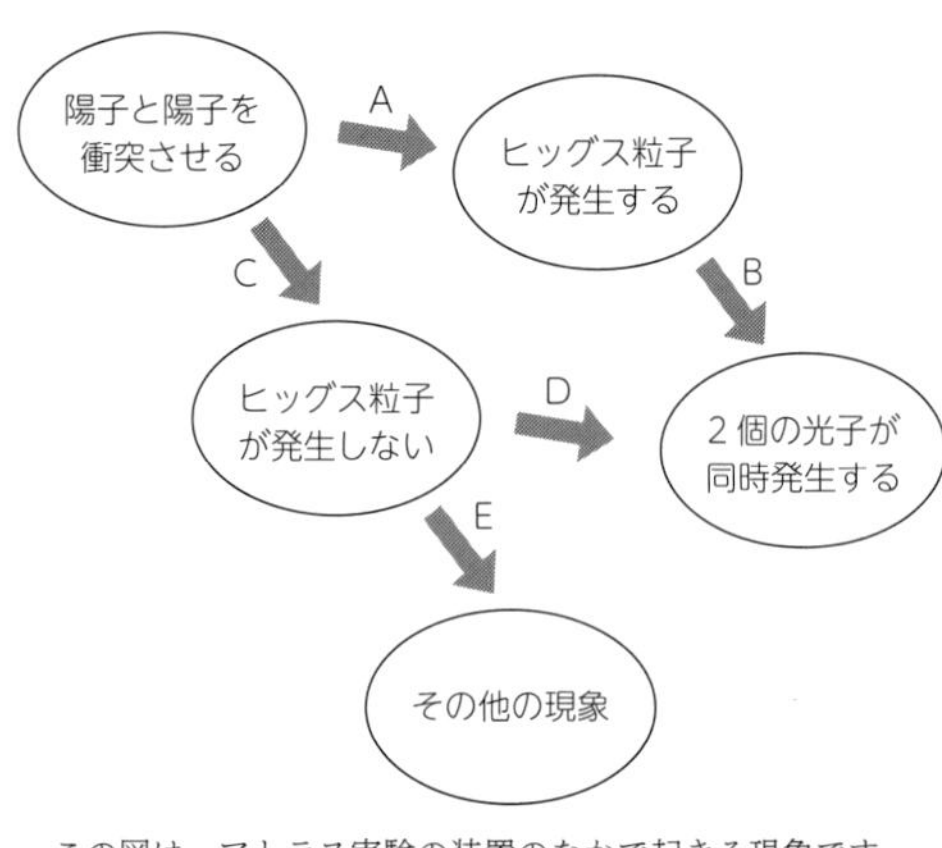

この図は，アトラス実験の装置のなかで起きる現象です．○のなかに書かれているのが現象，２つの現象の間の因果関係が矢印で表わされています．「陽子と陽子の衝突」が原因になって「ヒッグス粒子の発生」が起きることを示したのが，矢印Ａです．陽子と陽子が衝突してもヒッグス粒子が発生しないこともあるのを，矢印Ｃが示しています．矢印Ｄは，ヒッグス粒子が発生しなくても光子が発生することがあることを示しています．矢印Ｅが示す「その他の現象」には，光子が３個以上発生する場合や，２個発生してもそれが同時でない場合などが含まれています

図10-3　ヒッグス粒子をめぐる因果関係

陽子と陽子が衝突したときに起こることを図解すると図10-3のようになっています。

「陽子と陽子の衝突」から、「2個の光子の同時発生」に行くには、道筋が2通りあります。

「ヒッグス粒子の発生」を経由する経路と、そうでない経路があるので、2個の光子が発生したからといって、残念ながら、すぐにヒッグス粒子が発生したと結論することができないのです。

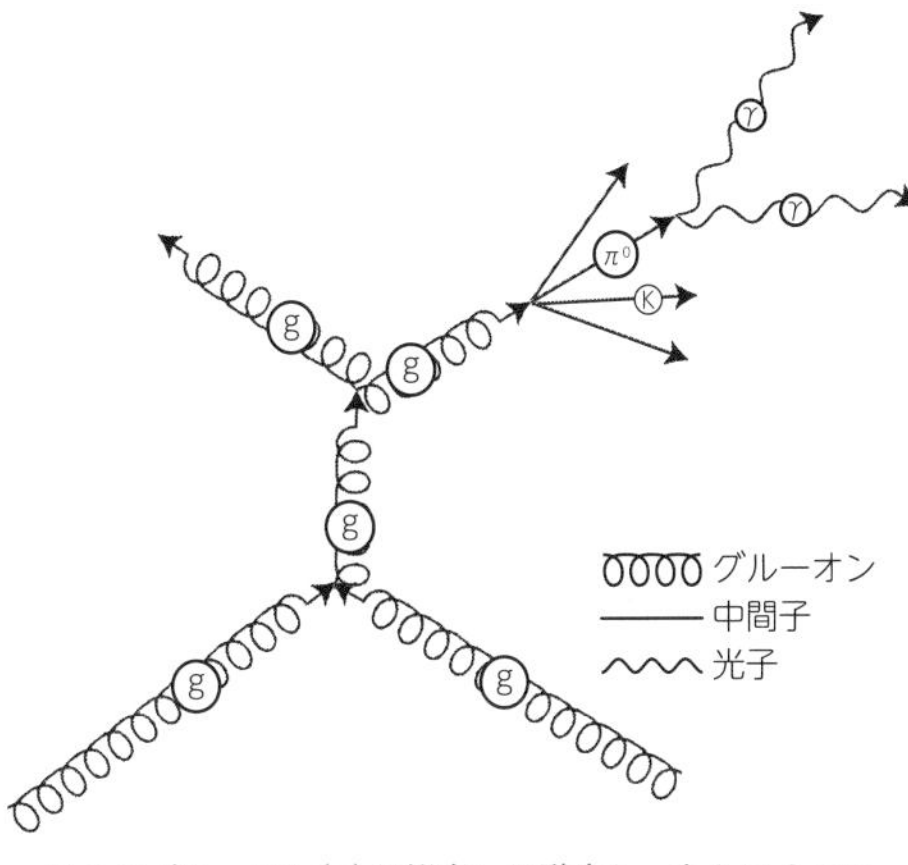

2つのグルーオン(g)が衝突して融合し，さらに2つのグルーオンに分裂，その一方のグルーオンからπ^0中間子やK中間子などが発生して，そのπ^0中間子が崩壊して光子2個を発生させる．図10-3のDの矢印にはこんな現象も含まれています

図10-4　ヒッグス粒子と無関係な2個の光子の同時発生の例

たとえば、新宿に住んでいる友だちを東京駅で見かけたとしても、その友だちが山の手線に乗って来たのか、中央線に乗って来たのかわからないようなものです。ついでに書いておきますが、陽子と陽子の衝突はそう簡単に起きることではありません。しかも陽子と陽子がものすごい速度で衝突しないといけないのです。科学者たちは高速の陽子と陽子の衝突を起こさせるような装置を作らなくてはな

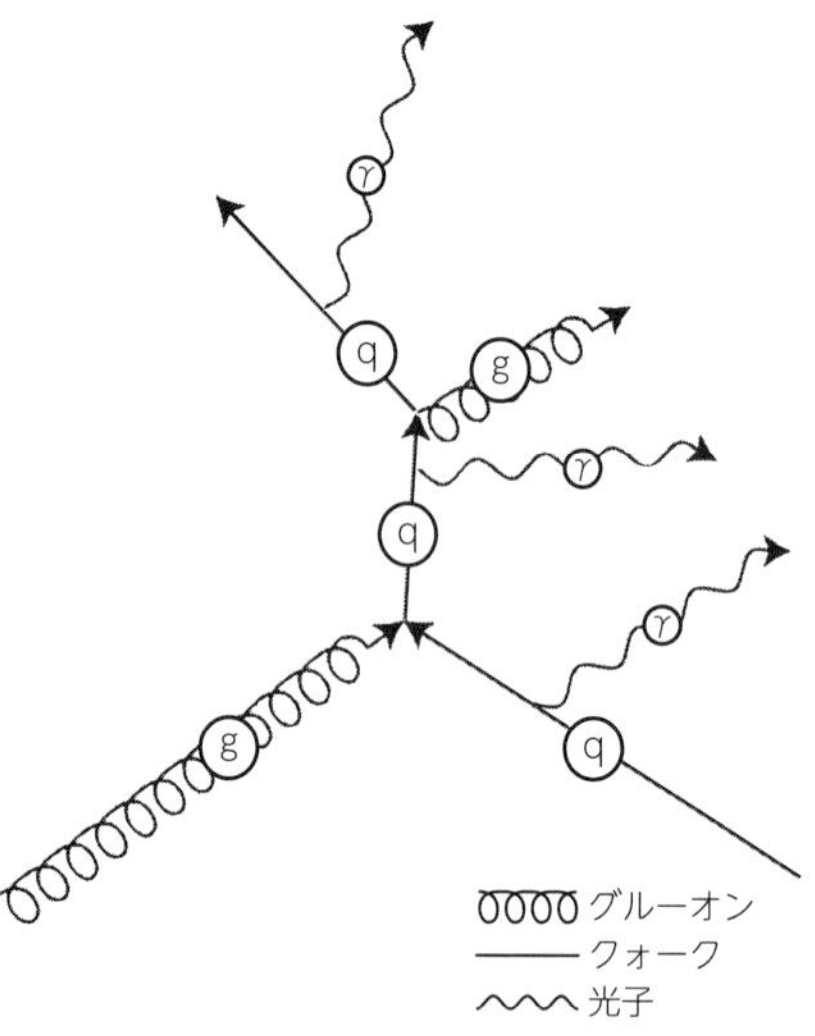

クォーク(q)がグルーオン(g)と合体してクォークになり，そのクォークが再びグルーオンを放出するという過程のあちこちでいくつもの光子(γ)が放出される．図10-3のEの矢印に含まれる場合です

図10-5　標準モデルによる複数光子の発生の例

りませんでした。それがLHCと呼ばれる装置で、ATLAS(アトラス)検出器はそこで発生する光子を検出する装置です。

図の「ヒッグス粒子の発生」を経由しないで「2個の光子の同時発生」にいたる経路もいろいろあって、たとえば**図10-4**のような現象があります。また、「ヒッグス粒子の発生」は必ず「2個の光子の同時発生」につながりますが、「標準モデル」にしたがう、必ずしも同時でなく複数の光子が発生する、**図10-5**のような「C→E」という道すじをたどる現象もあります。

「ややこしいんだね」ユウがうんざりしたように言いました。

陽子と陽子の衝突による光子の発生

そうです。ややこしいのです。しかし、2個の光子の同時発生に「C→D」の経路しかないときに比べて、「A→B」と「C→D」の2つの経路がある場合の方が、光子の発生が多いはずです。ちょっと極端なたとえですが、サッカー場の前の駅で改札を通る人がどっと増えたら、サッカー場から出てきた人とそうでない人の区別ができなくても、サッカーの試合が終わったことはすぐにわかるでしょう。

科学者たちは図10-2の現象があると2個の光子の同時発生がどれくらい増えるか計算機シミュレーションで計算しました。計算機シミュレーションは、乱数(らんすう)(第6話参照)を利用して陽子と陽子を衝突させるときに起こることを、いろいろな衝突の仕方をさせて、疑似的に光子を発生させながらていねいに疑似データを積み上げていく方法で行われます。

光子のエネルギー分布

ところで、「光子」といってもいろいろあるのをご存知でしょうか?　光には見える光と見えない光があり、見える光には色があります。光が見えたり、見えなかったりするのは光の波長（はちょう）によります。波長が長すぎる光、短すぎる光は見えません。赤く見えるのは見えるなかで波長が一番長い光で、紫に見えるのが一番短い光です。光のエネルギーとその波長に一定の関係があります。

波長が短い光ほど大きなエネルギーを持っています。感覚的には光を色で分けるとわかりやすいのですが、目に見えない光まで含めて他の現象との関係を扱うときには、エネルギーの大きさで分類するのが便利です。

紫色の光のエネルギーがだいたい3電子ボルト（eV）ですが、ヒッグス粒子と関係する光は100ジェブ（GeV、ギガ電子ボルト。ギガ＝10億）以上というとんでもなく大きなエネルギーです。

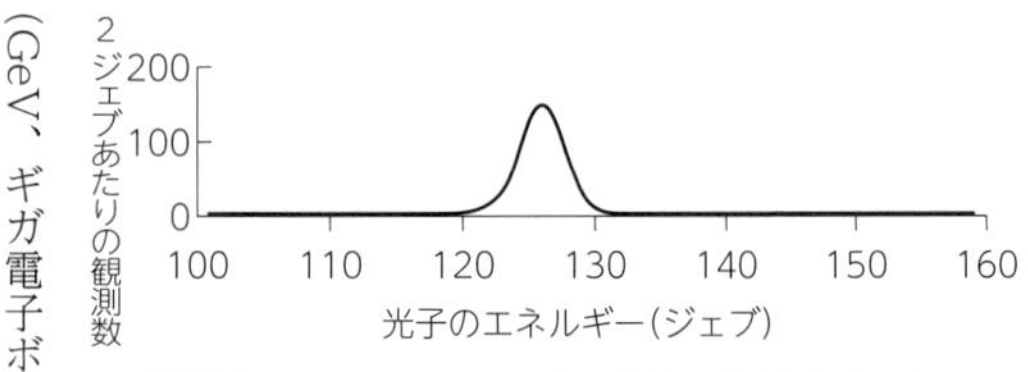

計算機シミュレーションによる方法で求められた，ヒッグス粒子が存在して図10-3の「A→B」という経路で発生する光子のエネルギー分布の予想．ヒッグス粒子のエネルギーを126.5ジェブと仮定した場合の図です

図10-6　図10-3の「A→B」という経路で発生する光子の数の分布（アトラス実験提供の資料をもとに作成）

図10-3の「C→D」の経路で発生する光子のエネルギーは広い範囲に分布するのですが、シミュレーション計算でわかったのは、「A→B」の経路で発生する光子のエネルギーは、

発生するヒッグス粒子のエネルギーの近くに限られるということでした。たとえば、もしもヒッグス粒子が126・5ジェブのエネルギーを持つなら、それが崩壊して発生する光子のエネルギーは図10-6のように分布するはずだと予想されたのです。

実際の観測データ

実際に光子の発生数を数えた結果を示すのが図10-7です。陽子の衝突の結果2個の光子が発生したケースについて、発生した光子の数を発生した光子のエネルギーの大きさで分類してまとめた結果です。実際に観測された回数がグラフ中の点で示されています。図の左端の点の位置を見ると、光子のエネルギーの大きさが100ジェブと102ジェブの間にあった回数が3600回以上であったこと、124ジェブと126ジェブの間にあった回数が2100回ぐらいであったことが読み取れます。

観測値は120~130ジェブのあたりで点線のカーブから上にはずれています。もしもエネルギーが125ジェブ程度のヒッグス粒子が発生して崩壊したということが実際に起こっているとすると光子のエネルギー分布に盛り上がりが出現するはずのところです。つまりこの図は図10-3の「C→D」の経路で発生する光子のエネルギー分布を示していて、エネ

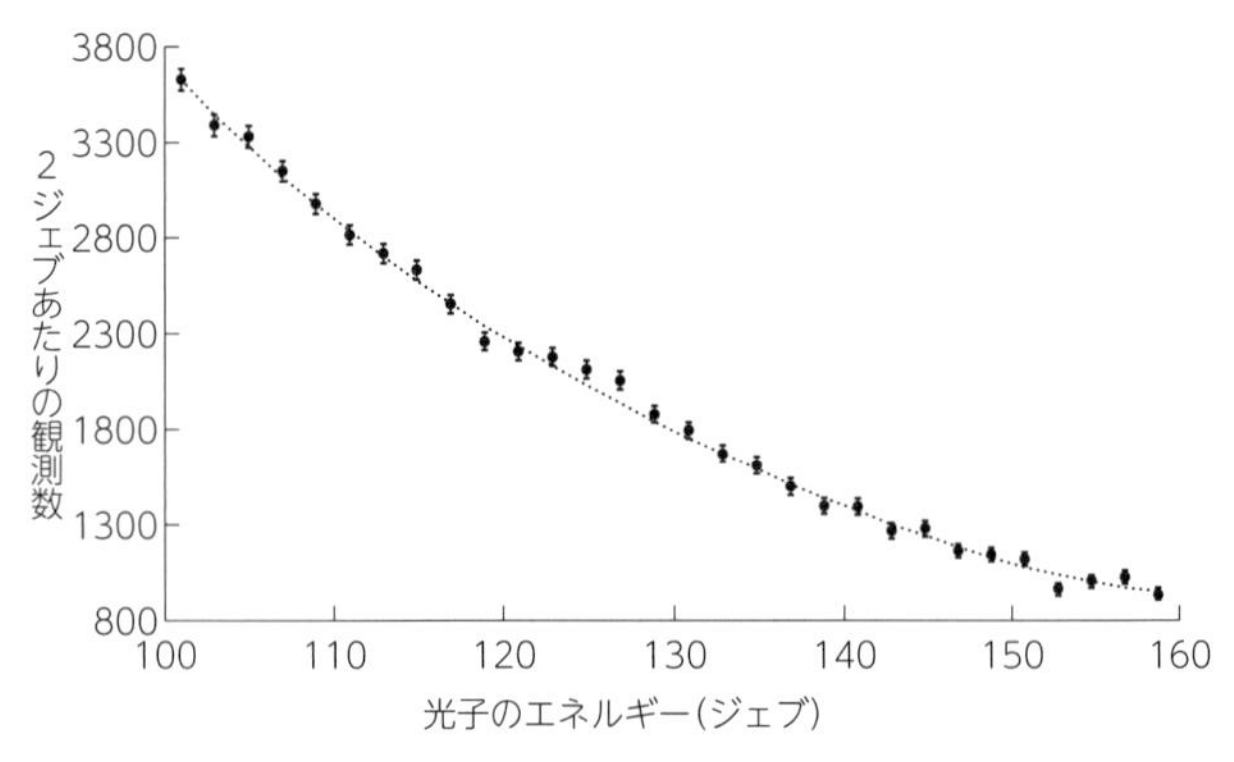

陽子の衝突の結果２個の光子が発生したケースについて，発生した光子の数を発生した光子のエネルギーの大きさで分類してまとめた結果です．この図の点それぞれに付けられている短い縦線は，データが含んでいると考えられる誤差の標準偏差の大きさを示すものです．点線は，データ全体の傾向をなぞるように描いた曲線です

図 10-7 アトラス実験による２光子観測のデータ
（アトラス実験提供の資料をもとに作成）

ルギーが１２５ジェブ程度のヒッグス粒子が発生したためにこのあたりの光子数が点線より上の値をとるのだと解釈できそうです。

しかし、こう解釈することが許されるのは、１２０～１３０ジェブのあたりでデータが点線より上に出ているのが、データのゆらぎによるものではないということを確認できた場合だけです。ヒッグス粒子が発生しなくとも観測値が偶然にこんな外れ方をすることがないとは言えませんが、こんな外れ方をする確率は１００万分の１以下であると計算されました。研究者たちは、観測値の出方は標準モデルでは説明で

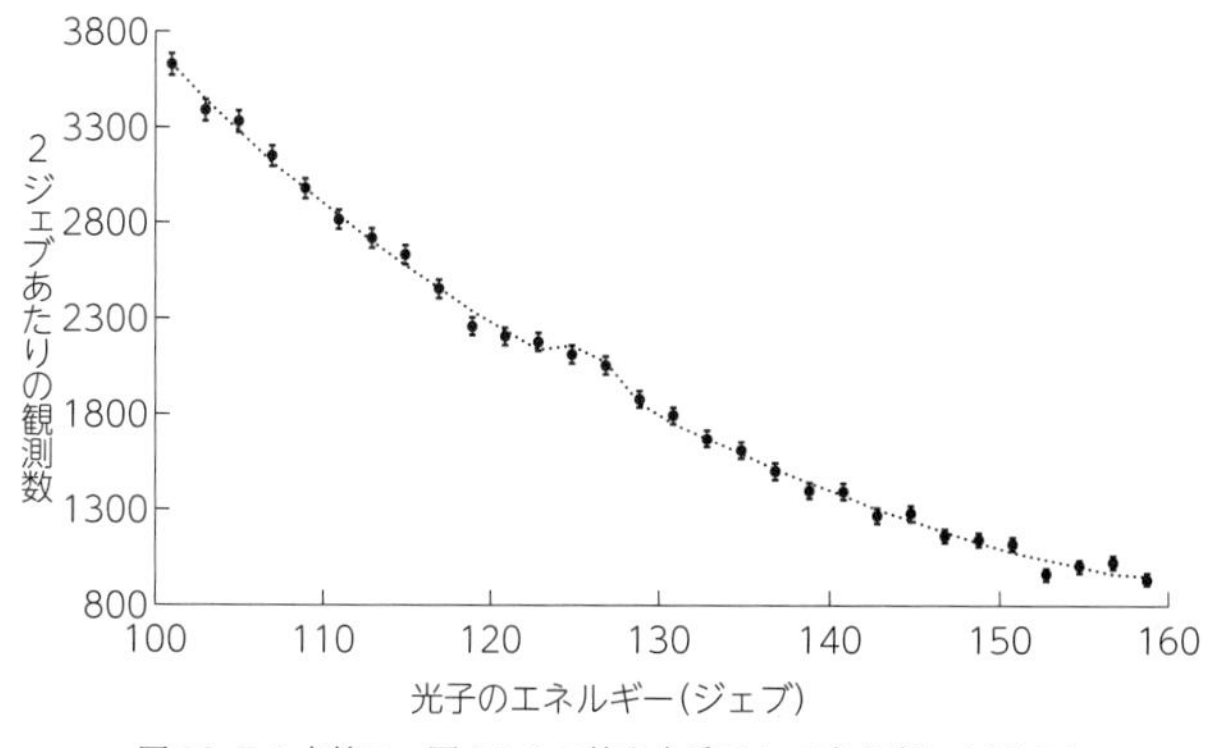

図10-7の点線に，図10-6の値を上乗せして書き直した図です

図10-8　理論とデータの比較(アトラス実験提供の資料をもとに作成)

きないと結論しました。

図10-8の点線のカーブは「A→B」と「C→D」の両方の経路から来る光子全体の数を予測するカーブです。このカーブは120~130ジェブの範囲でデータに付けられた観測誤差の大きさを表わす縦線を横切っています。虫めがねで見てください。これぐらいの外れ方は、データの数が十分でないためのたまたまの偶然の結果だと見なしてさしつかえないということです。

図10-6のカーブを求める計算機シミュレーションは、陽子と陽子を衝突させるときに起こることを、いろいろな衝突の仕方の確率を計算し、乱数を利用して疑似的な現象を起こさせながらていねいに疑似データを積み上げていく方法で行われています。

粒子の衝突は微妙な角度や速度の変化で結果が大きく変わりますから、大量の計算を正確にしないかぎり無意味なものになってしまいます。

このようなシミュレーションの結果が実測データとよく合っていることを図10-8は示しています。この図は、ヒッグス粒子の存在の証拠であるとともに、乱数を用いたシミュレーション技術のすばらしさの証拠でもあるのです。

「わかったかい?」私が聞きましたが、返事がありません。

ユウはいつのまにか私のひざの上で眠りこけていました。

しかし、どうして眠ってしまった子どもは重たくなるのでしょう。

問題コーナー

この章で紹介した科学者たちの研究と、第8話で紹介した子どもたちの研究に共通していることを見つけてください。

【解答例】 この章では「標準モデル」という仮説だけでは説明がつかない光子エネルギー

分布が観測されたことが、ヒッグス粒子が発生した証拠になったと説明されました。第8話では、ハチがでたらめに花を選んでいるという仮説では説明できないハチの行動が、ハチが花の作るパターンを見て蜜(みつ)があった場所を覚えている証拠になると考えたと説明されています。仮説と実験結果を比べて調べるやり方が共通しています。

統計学的には

ヒッグス粒子発見の決め手になったのは、陽子と陽子の衝突で観測された光子対の数が、ヒッグス粒子が存在しないとする古い理論で予想される数と比べてめったにないほど多かったという証拠でした。

このように古い理論を捨てて新しい理論を採用するとき、新しい理論の証拠とされるデータが、古い理論でも出るはずのさほどめずらしくないものなのか、古い理論ではめったに出ないはずのものなのか調べることが必要になります。

起きたことが、めったにないことであったのかどうか調べる方法を**仮説検定**(かせつけんてい)といいます。統計学ではどんな理論も「仮説」と考えるのです。

ヒッグス粒子発見も、統計学的には仮説検定ということになります。物理学者たちは起きる確率が100万分の1より小さいことを「めったにないこと」と考えることに決めました。そして、ヒッグス粒子が存在するなら出るだろう図10-7のような観測値が古い仮説のもとで得られる確率を計ってみたら100万分の1より小さかったのです。それで物理学者たちはヒッグス粒子が実際に発生することがあるのだと認め、ものに質量があるのは、空間が素粒子が動くのを妨(さまた)げる性質を持っているからだと考えることにしたのです。

第11話

天災は忘れた頃にやってくる――点過程

テレビで、外国で大地震があって、ビルが倒れたり救助隊が活躍したりしているニュースが放送されていました。

「うちにも、地震来る？」突然、ユウに聞かれました。

地震は来ます。地震は一風変わった来方をします。どんなふうにやって来るものなのか、データで見てみましょう。「人が来るとき、前もって電話してから来る人とか、突然やって来る人とかいろいろあるだろ？」と私はユウに言って以下のようなことを話しました。

三陸沖の地震

1923年からの、東北地方三陸沖で起きた地震の大きさと、起きた日を示すグラフを描くと、**図11-1**のようになります。縦線の高さを地震のエネルギーに比例させて描いたものです。右端に「M9」、「M8」というラベルがついた横線は、それぞれ、マグニチュード9あるいは8の地震のエネルギーの縦線がこの高さになるという目印です。

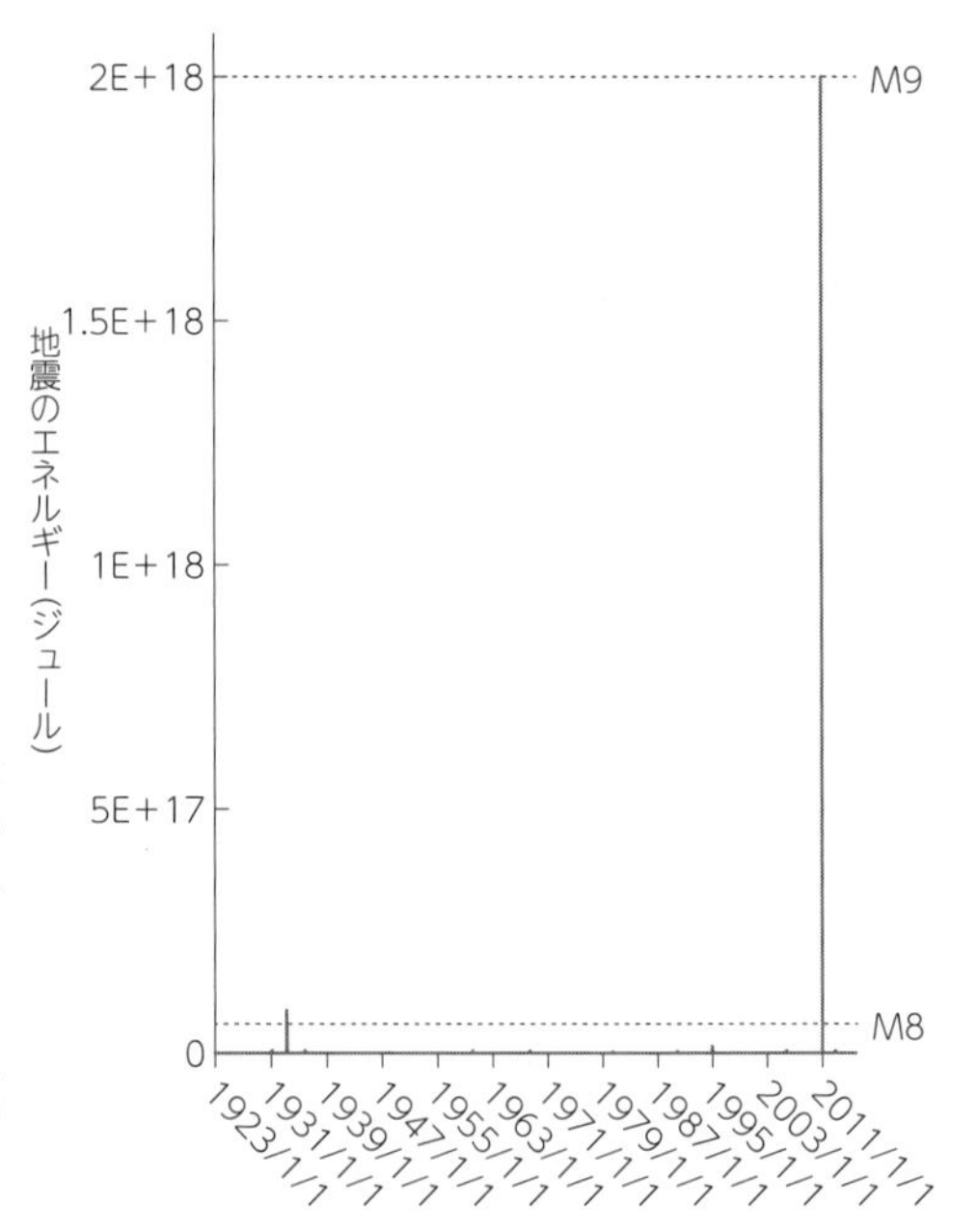

横軸は日付，縦軸はジュール単位で測った地震のエネルギーです．右端のマグニチュード(M) 9の地震は2011年3月11日に起きた東日本大震災です．縦軸で使われている書き方，たとえば2E+18は2に「1」の後に0が18個ついた数，1.5E+18は1.5に「1」の後に0が18個ついた数，「1000000000000000000」をかけた大きさの数です．つまり2E+18=2000000000000000000です．念のために書いておきますが2E−18は2を「1」の後に0が18個ついた数で割った数を表わします．

この図も虫めがねで見ると，1987/1/1と1995/1/1の間に短い縦線が見えます．これはM8より「小さい」地震です．他にも6個見えるはずです

図11-1 「三陸沖」の地震

$$エネルギー = 10^{4.8+1.5×マグニチュード}$$

図 11-2　マグニチュード

右端に立っているのが、東日本大震災を引き起こした２０１１年３月11日に起きたマグニチュード９の地震です。１９３１年のあとで「Ｍ８」を少し越える小さな地震、１９９５年頃に「Ｍ８」より小さな地震が記録されていますが、前の方のは１９３３年３月３日に起きたマグニチュード8.1の地震、あとの方のは１９９４年12月28日に起きたマグニチュード7.6の地震です。その他に虫めがねがないと見えない地震も描かれています。

この図はマグニチュードを地震のエネルギーに換算したグラフなので、マグニチュード９との差では0.9と1.4でしかないものがこんなに違っているのです。

マグニチュードとは

地震は大地にたまったエネルギーが放出されることで起きます。地震のマグニチュードと放出エネルギーの関係は**図11-2**の式で表わされます。地震を研究する科学者にはマグニチュードの方が便利で、この式を

$$1000 = 10^3$$

図 11-3　10 の 3 乗

知っていますから、マグニチュードを聞けばどんなに大変なことが起きているかすぐにわかりますが、一般の人たちにはエネルギーの値の方がわかりやすいように思われます。上の式で計算されるエネルギーの単位は「ジュール」です。10メートル上から落ちてきた1キログラムのものが持っている運動エネルギーがだいたい100ジュールだと覚えてください。

図11-2の式の右辺はめんどくさい形に見えますが、**図11-3**が10を3回かけ合わせると1000になることを表わしているのと同じように、10を(4.8＋1.5×マグニチュード)回かけ合わせるとエネルギーになるということを表わした式です。マグニチュードが2.8だったら4.8＋1.5×2.8＝9なので、10を9回かけ合わせて1億ジュールとなり、マグニチュードが4.8だったら、10を12回かけ合わせた1000億ジュールになるというわけです。マグニチュードが2上がると、地震エネルギーは1000倍にもなります。

「わかったかい？」私はユウに聞きました。

「マグニチュード0の地震のエネルギーは10を4.8回かけ合わせて計算するんだ」

「わかったじゃないか」

「でも10を4.8回かけ合わせるなんてどうやったらいいかわからない」

「10を48回かけ合わせるのはできるだろ？」

「できるよ」

「その数がわかったら10回かけ合わせるとその数になる数を探せばいいんだよ」


じつは私だって紙と鉛筆でこんな計算をやりたくありません。パソコンで計算します。こんな計算ができる電卓もあります。

地震の震度とは

マグニチュードと地震の震度についても説明しておきましょう。震源から放出されたエネルギーは、地面の振動として伝わってきます。この振動の激しさを測るのが震度です。震源から放出されたエネルギーが同じでも、震源から離れるにしたがって震度は小さくなります。

そして、たとえば、東京に被害をもたらす地震の震源が神奈川県西部にあることもあれば、三陸沖にある場合もあります。ですから住んでいる場所で観測される震度は震源におけるマグニチュードと密接な関係がありますが、違うものです。

地震の恐ろしさはエネルギーに比例すると考えられるので、この本では地震の大きさを示すグラフの縦軸をエネルギーとして図示することにしました。横軸は1923年から2015年までの約90年です。

ほかの地域の地震

さて、図11-1にまとめたのは「三陸沖」に震源があった地震だけです。同じ1923年から2015年の間に、他の地域で起きた地震はこの図には入っていません。震源の場所を分けて扱うのは、そうしないで日本のあちこちで起きる地震をまとめて描いてしまうと、地震というものがしょっちゅう起きるものであるような印象を与えてしまうからです。

日本で頻繁に地震が起きるのは本当ですが、人々が影響を受けるのは、住んでいるところの近くで起きる地震です。地震が日本全体ではしばしば起きるということと、大地震を経験することはめったにないということ、そのどちらも本当なのです。

では、他の地域の地震の様子も見てみましょう。図11-4に見えるのは1995年1月17日の阪神・淡路大震災を引き起こした、マグニチュード7.3の地震、図11-5の左端、1923年9月1日の位置にそびえているのが有名な関東大震災を引き起こしたマグニチュード7.9

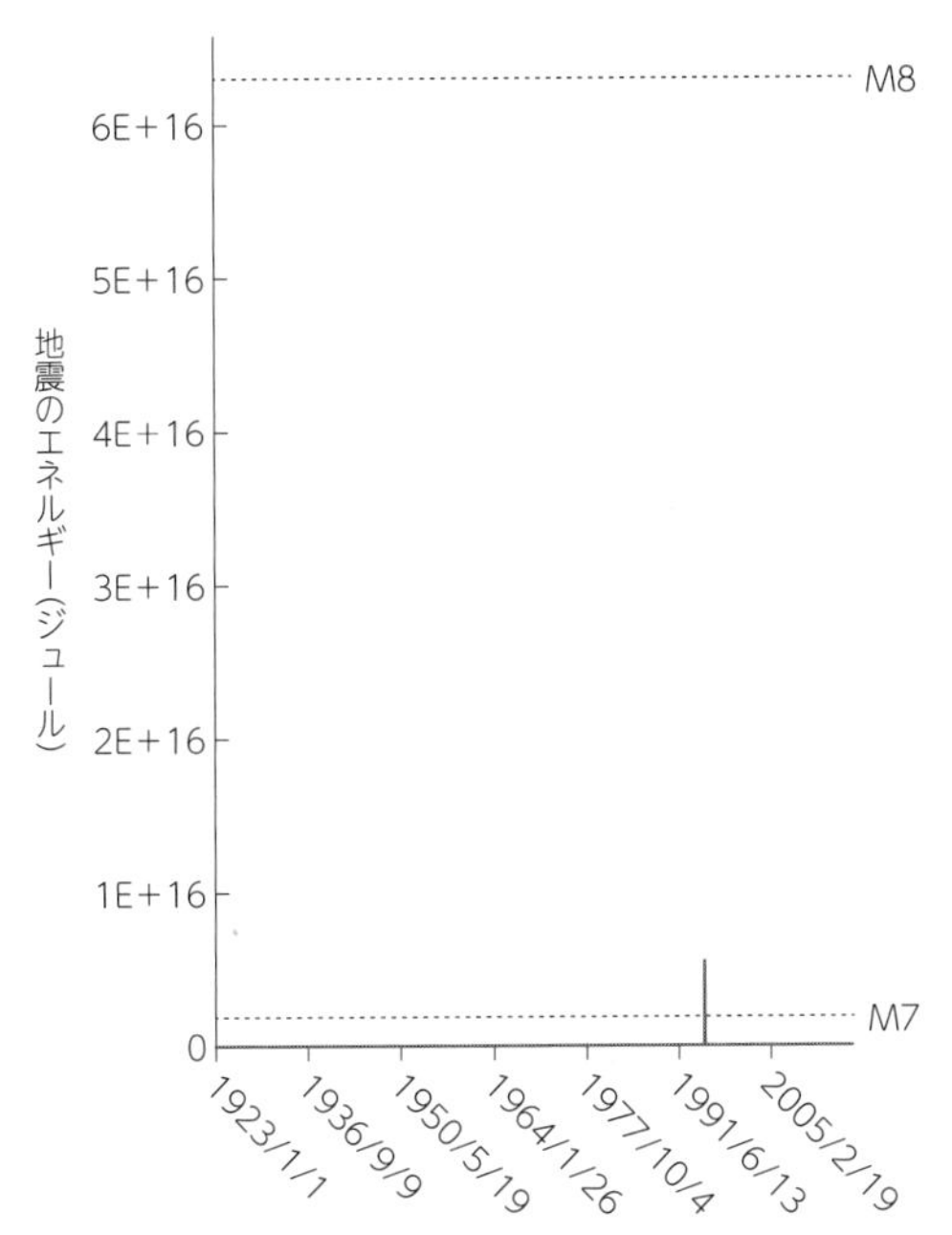

1991年のあとの地震が阪神・淡路大震災を引き起こしたマグニチュード7.3の地震です．マグニチュード6以下の地震も描いてあるのですが，マグニチュード7の地震のエネルギーと比べるとあまりにも小さくて，グラフで描くと横軸に重なってしまうのです

図11-4 「大阪湾」の地震

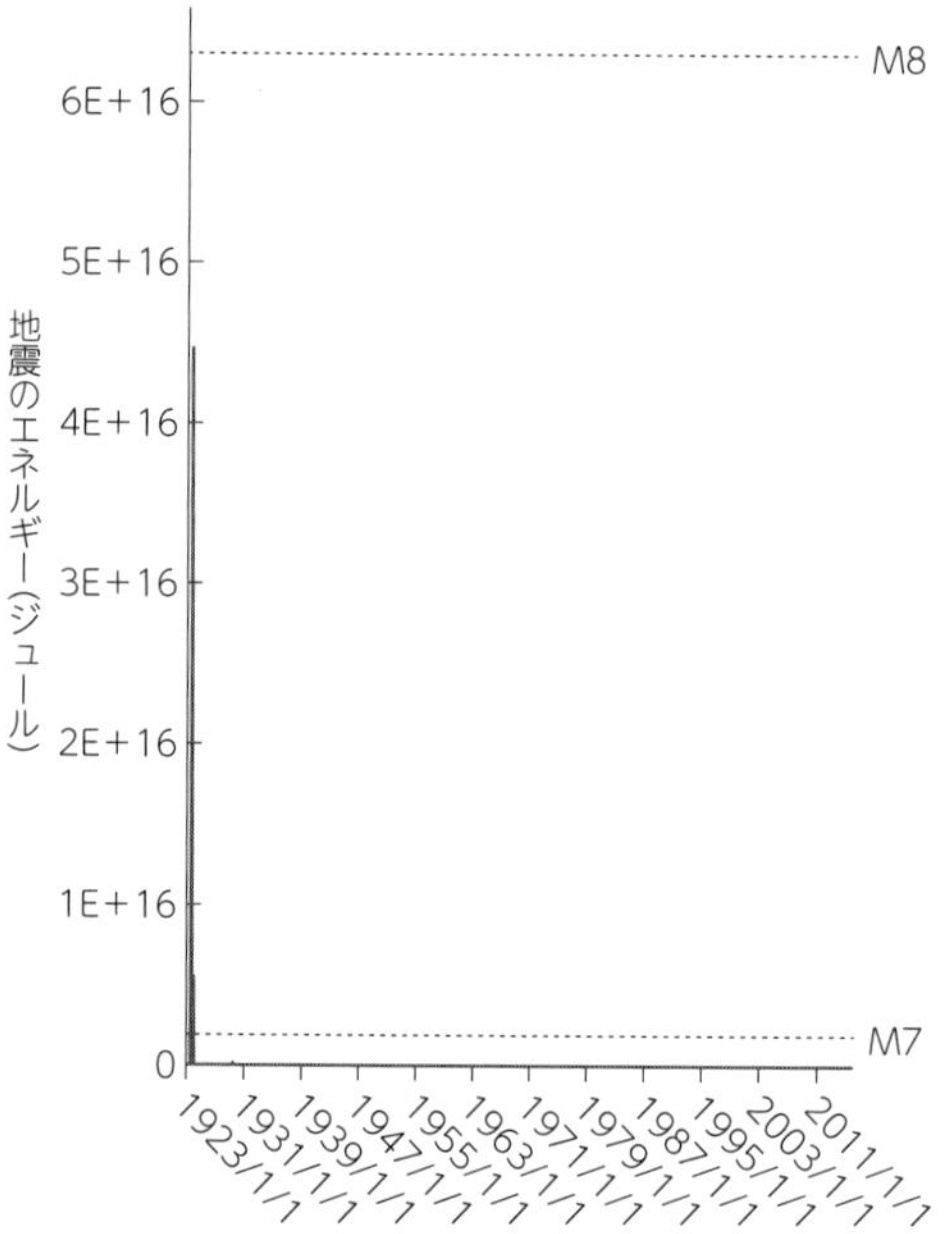

左端の地震は関東大震災を引き起こしたマグニチュード7.9の地震です

図 11-5 「神奈川県西部」の地震

の地震です。この図をよく見ると9月1日の地震を表わす線の足元が太くなっているように見えます。これは翌年の1924年1月15日にもマグニチュード7.3の地震が起きたためです。

これらの図は大きな地震だけを選んで図示したように思われるかもしれません。でもこれらの図にはそれぞれの地域で観測された地震がすべて描かれています。描いてあるけれどほとんどの地震を表わす線の背の高さがあまりにも低くて見えないのです。縦軸のスケールを変えた図11-6を見ると「三陸沖」ではマグニチュード7ぐらいの地震はけっこう頻繁（ひんぱん）に起きています。

いずれの地域でも1923年1月から2015年12月までの100年に近い、3万3000日を超える期間にけたはずれの大地震があった日は、たかだか3日ぐらいしかないことがわかります。ある地域でその地域で最大級の大地震が明日起きる確率は、1万分の1程度と考えていいでしょう。

この確率の小ささを「大地震」の特徴と考えることができます。

つまり一言でいえば大地震はめったに起きない、ということです。

しかし、「三陸沖」、

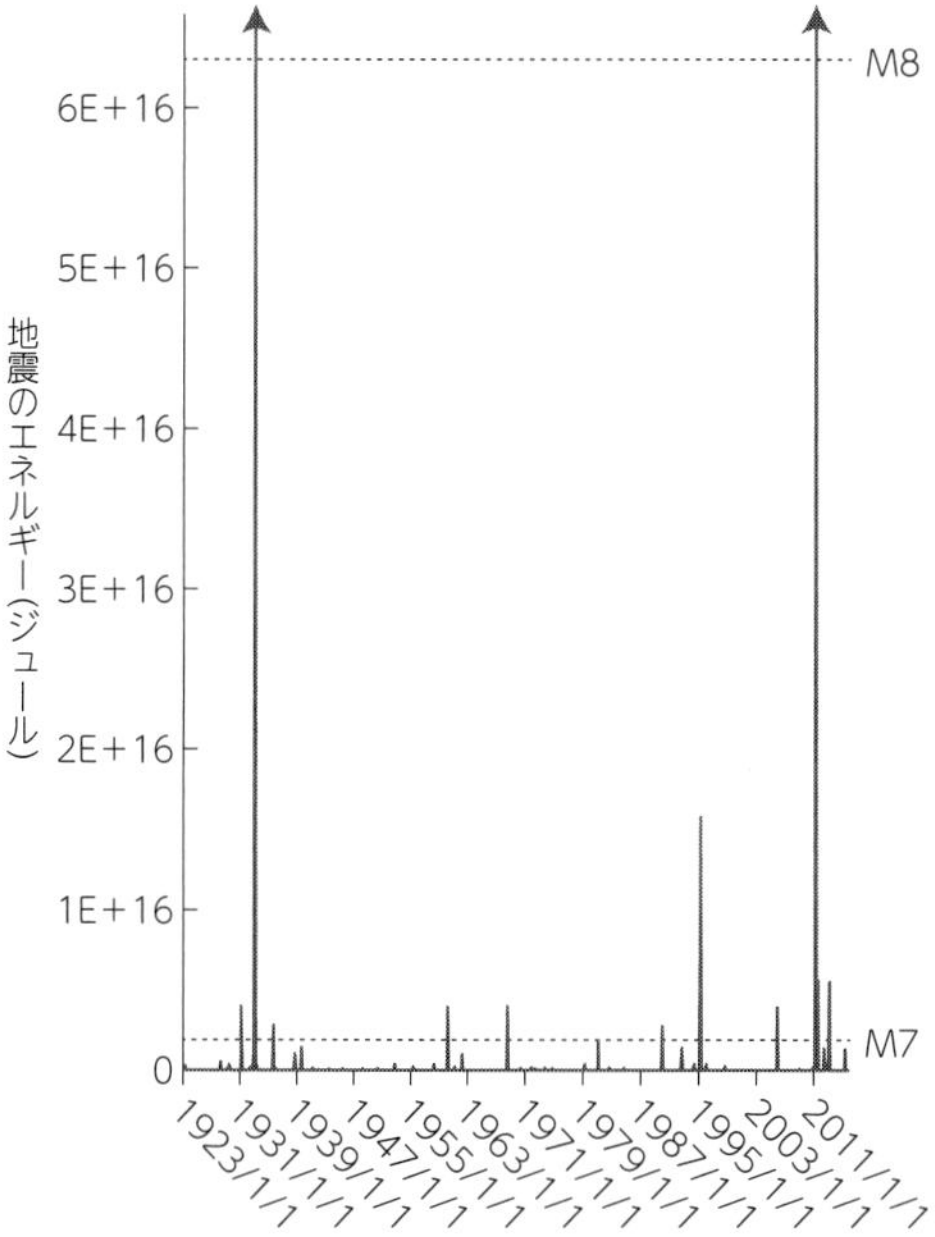

このスケールでは上にはみ出してしまう2つの地震を表わす線を矢印にしてあります

図 11-6 「三陸沖」の大地震の足元の地震

$$1-(1-p)^n$$

図 11-7　n 年間に地震が起きる確率

「神奈川県西部」、「大阪湾」という離れた地域のいずれも、100年間大地震なしではなかったわけです。ですから、少なくとも日本に住んでいるかぎり、いつかどこかで大地震が起きるのは間違いありません。

「長く待っていれば地震は必ず来る。でもたぶん今すぐじゃない」

私はユウの最初の質問にこう答えました。

「天気は予報できるでしょ? 地震は予報できないの?」

「できるよ」

地震予報

地震予報はできます。降水確率の予報では「明日の午前中に東京で降水が観測される確率は70%」のような言い方をします。地震については、たとえば、「30年以内に関東地方でマグニチュード7以上の地震が起きる確率が70%」などという言い方をします。

天気予報で「明日の午前中」と言うところが「30年以内」のように長

表 11-1　n 年間に地震が少なくとも 1 回起きる確率

n	1	3	10	30	100
$1-(1-p)^n$	4%	12%	34%	71%	98%

い期間についての言い方になっています。ここを「1年以内」にしたら確率の値が小さすぎて丸めるとゼロになってしまうからです。

ある地域で1年間に地震が起きる確率がpだとすると、n年間に少なくとも1回地震が起きる確率が図11-7の式で計算されます。この式は地震がない年がn年間続く確率を1から引く形になっています。ある1日に地震が起きる確率を0・0001とすると、$n=365$で計算して1年間に地震が起きる確率が0・036となります。1年間に地震が起きる確率が0・04(4%)であればn年間に地震が起きる確率は表11-1のようになります。かならず起きることの確率は100%です。この表はnが大きくなると、n年の間に地震が起きる確率がどんどん100%に近づいていくことを示しています。これを利用して地震予報では「30年以内には」というような言い方をするのです。

天気が毎日の現象であるために予報の仕方がいいかどうか、数年のデータで調べられるのに対して、地震の方は数百年待たないとはっきりしたことがわかりません。気象現象が私たちの暮らしている大気のなかの現象で比較的観測が容易なのに比べて、地震に関係する地下の現象の観測が難しいのも大きな違いです。

地震のエネルギー

大地震について見てきましたが、もっと小さい地震も見てみましょう。「三陸沖」の図の

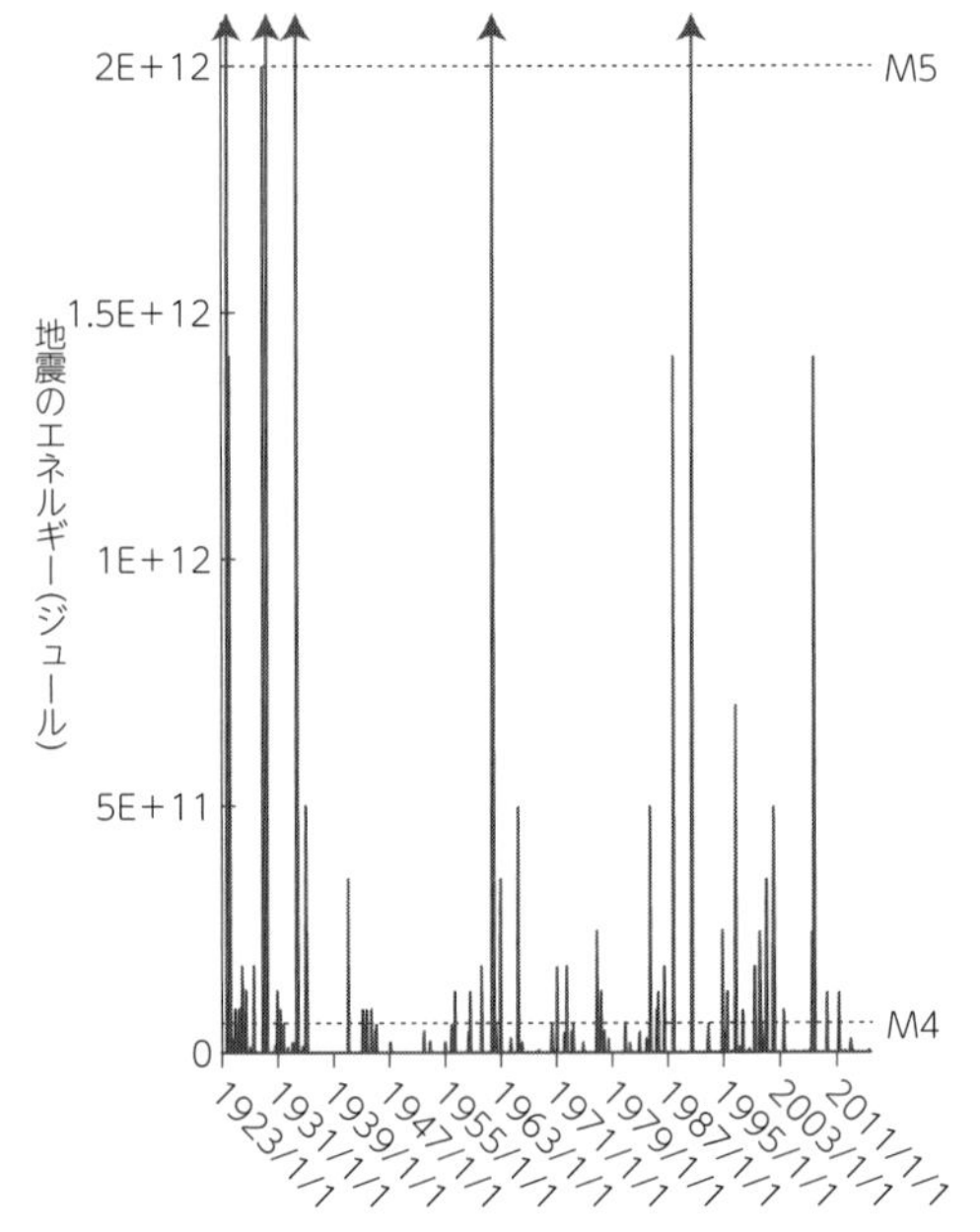

小地震だけを描いたグラフではありません．このなかにはマグニチュード３以上の地震はすべて含まれています．大地震を表わす矢印線はグラフの範囲を突き抜けて，はるか上まで伸びているのです

図 11-8 「神奈川県西部」の地震

表11-2　「神奈川県西部」で起きた地震の
数と放出エネルギー（単位：ジュール）

マグニチュード	M3〜4	M4〜5	M5〜6	M6〜7	M7〜8
発生回数	99	81	12	2	2
放出エネルギー	1.61E+12	2.18E+13	6.12E+13	3.04E+14	5.03E+16

縦軸の範囲を変えて描き直したのが**図11-6**で、「神奈川県西部」の図の縦軸の範囲を変えたのが**図11-8**です。この図を見れば、大地震がまれにしか起きないのに対して小地震はしょっちゅう起きていることがわかります。

「地震といっても、いろいろあるんだ」ユウが言いました。

「とてつもない巨人もいれば、小人もいる」

表11-2が示すようにマグニチュードが大きい地震ほど数が少ない性質がありますが、この期間に放出された地震エネルギーもこの表に書かれています。その放出エネルギーのグラフを描くと、**図11-9**のように、そのほとんどが2回だけあったマグニチュード7以上の地震で放出されたものであることがわかります。

地球の地殻（ちかく）には大陸移動などを起こし、大昔は海だったところを押し上げてヒマラヤ山脈をつくるなどの力が働いています。この力によるひずみのエネルギーがある程度以上たまると地殻が壊れ、その時に出る波動が伝わって

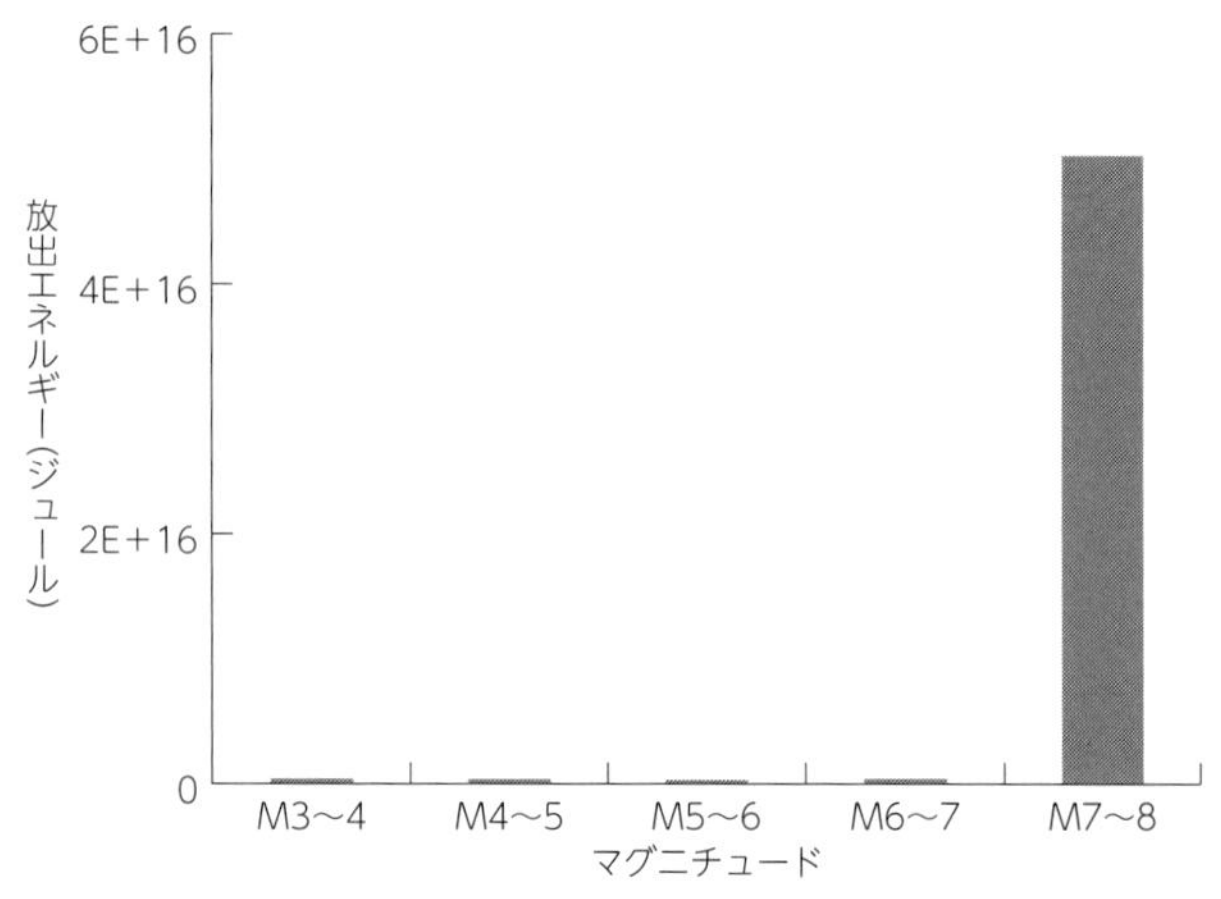

図 11-9　マグニチュードと放出エネルギーの関係

来るのが地震です。

図11-9は恐ろしいことを語っています。小さな地震で放出されるエネルギーがとても少ない。大地震が起きないとエネルギーの収支が合わなくなってしまう。地殻にたまるエネルギーを放出するために、地球は大地震を起こさなくてはならない、と言っているのです。住んでいる人間、特に「地震国」日本に住んでいる私たちにとって迷惑なことですが、地球というのはそういう性質を持った星なのだと思うしかありません。

もしも、**表11-2**が、マグニチュードが１上がるごとに地震の数が１０００分の１になるような形だったとしたら、地震のエネルギーのほとんどすべてが小さな地震で放出されることになって、地震は天災ではなくなるでしょう。ただし私たちはほとんど常にガタガタと振動しているなかで生活することになるでしょう。


「おこづかいをためて、どかんって使うのと似てる」ユウが言いました。

「ユウはそうしてるのかい?」

「そうしたいんだけど全然たまらない。なぜかな」

「なぜだろう。よーく考えてごらん」

地震の被害

ここまで地震の起こり方を見てきましたが、地震の被害を見てみましょう(図11-10、図11-11)。

この2枚のグラフは、世界災害データベース(http://www.emdat.be/)から取得したデータにもとづいたものです。このデータベースには世界中で起こった災害のデータが集められています。日本の地震について、たとえば2011年の記録を見ると、3月11日の地震と津波

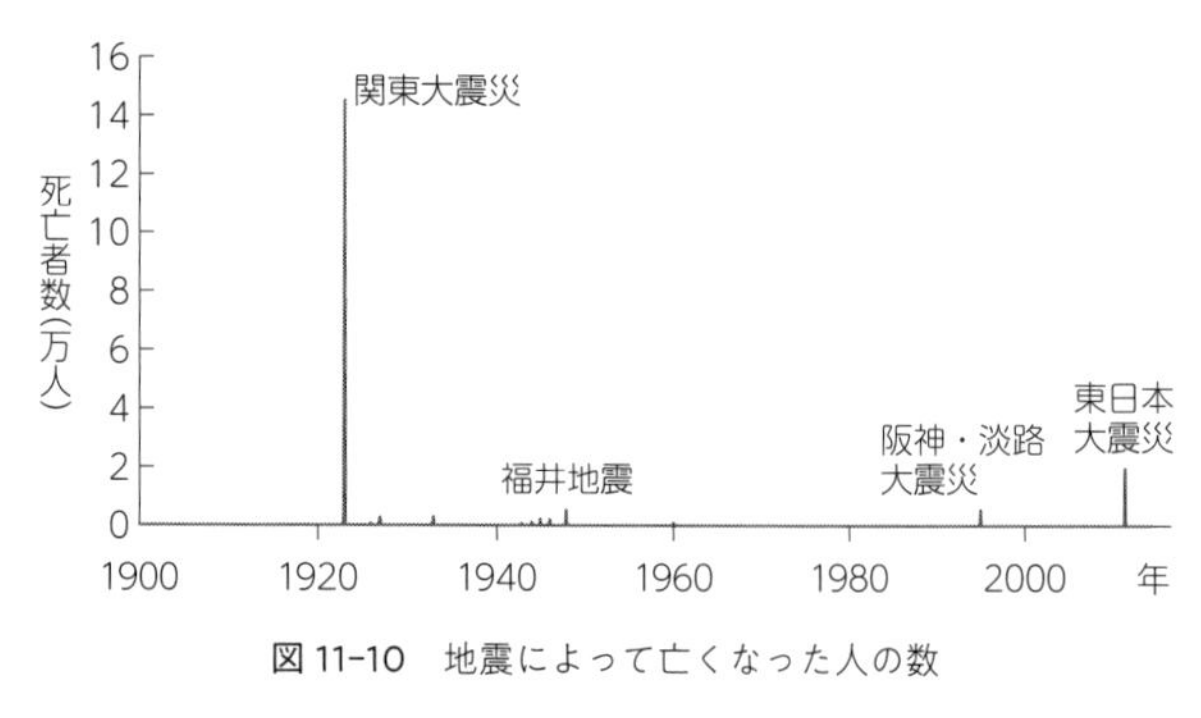

図 11-10　地震によって亡くなった人の数

で19846人が命を落とし、被害額が2100億ドルとなっています、この年の災害はこれだけでなく、4月にも2人が亡くなった津波があったと記録されています。

図11-11に1900年から2014年までの115年間の地震による損害額年間合計をグラフとしてまとめました。損害額は円に換算してあります。

図11-11では、関東大震災はまったく損害がなかったように見えますが、データの間違いではありません。先のデータベースには関東大震災の損害として6億ドルが記載されています。東日本大震災や阪神・淡路大震災の損害額に比べて小さいために、図として見えないのです。先の**図11-1**、**11-4**、**11-5**で小地震が見えないのと同じような事情です。

関東大震災の損害額が東日本大震災の損害額に比べれば小さいですが、これは2011年の日本が持っていた

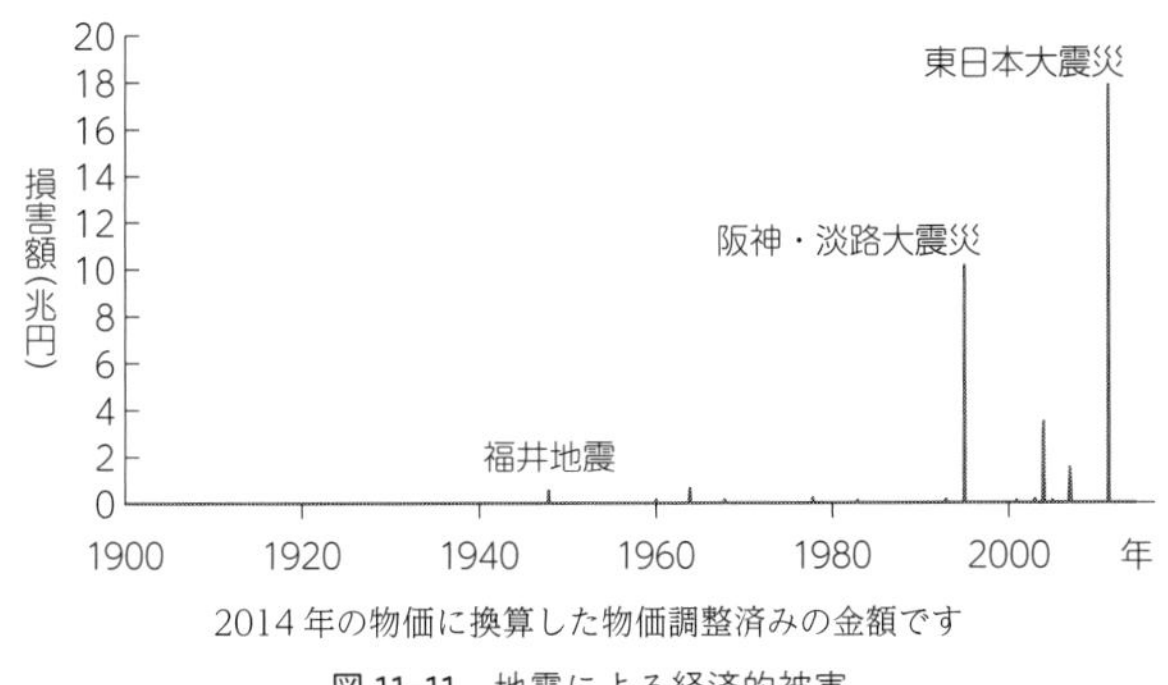

図 11-11　地震による経済的被害

資産が1923年の日本が持っていた資産に比べてはるかに多かったために損害額が多くなったというわけです。実際、地震が起きた時点での資産の蓄積に対する比率で見ると関東大震災の被害のほうが東日本大震災や、阪神・淡路大震災よりも大きかったようです。

火災の被害と比べる

図11-11が示すように阪神・淡路大震災の損害額は約10兆円でした。10兆円という金額がどんな額なのか、火災による被害と比べてみましょう。

表11-3の「危険共有人口」とは、同じ危険に直面している人の数、「危険共有資産」は危険共有人口に属する資産の見積もりです。阪神・淡路大震災の危険を共有している人数としては兵庫県の人口、被災者数としては神戸市、淡路市と西宮市の人口を採用しました。100

表 11-3　災害被害 100 年分の比較

	件　数	損害額見積もり(円)	被災者数(人)	危険共有人口(人)	危険共有資産(円)
阪神・淡路大震災	1	約 10 兆	約 200 万	約 550 万	約 58 兆
全国火災被害	約 600 万	約 15 兆	約 900 万	約 1 億 2000 万	1268 兆

年間の総計で見ると、損害額も被災者数も火災の方が上回っています。損害額や被災者数が地震被害を特別なものにしているわけではないのです。地震災害を特別なものにしているのは、危険共有人口です。

火災被害の場合は件数が６００万件と多く、被害を受けた人は全国に散らばっていて、時間的にも１００年間にちらばっています。火災の損害額は被災者１人あたり約１７０万円です。

「損害額ってどうしてわかるの?」ユウが首をかしげました。

「じいにもよくわからないけど、日本にどれだけのモノがあるかを調べた、有形固定資産という統計データがあるんだ」

有形固定資産というのは、日本にある家やその家にある家具、公共のものである道路や鉄道などすべてのものが含まれています。毎年調べられていますが阪神・淡路大震災の前年の１９９４年末の額が１２６８兆円でした。これが全国民１億２０００万人に均等に分けられていたものとすると、１人分が(利用している道路などの価値も含めて)約１０６０万円。そのうちの家屋や家財の１７０万円分がなくなってしまうのが火災という災害です。

火災で家一軒を失うことはそこに住んでいた人にとって大変なことですが、回りの道路などが壊れるわけでもなく、保険金が受け取れれば近くの建設会社に新しい家を建ててもらうことも可能です。私が経験した近くの火事でも、１～２年後には新しい家に建てかわって、どこに火事があったのかわからなくなっていることが多いように思います。これは、個人にとって１７０万円は大きい額だけれど危険共有人口１億２０００万人の資産１２６８兆円から見ると損害額15兆円は比較的に小さい額だということです。

阪神・淡路大震災の場合、危険共有人口５５０万人分の有形固定資産の額は約58兆円となります。そのうちの10兆円分が突然なくなったわけです。危険共有人口は危険にあたって互いに助けあう人口にほかなりません。その危険共有人口からこれだけの資産が突然失われたということは、普通の火災であれば援助の手を差し伸べてくれるはずの隣人や公共機関も十分に機能しなくなっているということです。

その結果、この損失は1～2年では回復されず、たとえば、震災後に最大4.6万個作られた応急仮設住宅のデータをみると、それが震災の1年後から減りはじめて4年半後にようやくゼロになっています。これは起こったことのほんの一面ですが、失われた資産を回復するのに少なくとも5年以上かかったということです。兵庫県が設置した阪神・淡路大震災兵庫県災害対策本部が廃止されたのは震災の10年後のことでした。

被災者数と危険共有人口の比率を見ると、火災被害の場合には約1対13、つまり、13人の危険共有者に対して実際に被災する人は1人。阪神・淡路大震災では1対2.8くらいです。これは、震災においては、火災と比べて危険を共有する人口が少なく、普通の保険という制度では助け合いがうまくいかないことを意味しています。

実際、普通の火災保険では、地震や火山の噴火などの天災による火災の場合には保険料を払っていても保険金は受け取れません。というわけで、地震に対しては普通の保険とは違う「地震保険」という特別な制度がつくられています。火災保険なら、家が焼けたときに新しく家を建て直す額の保険金を受け取れるものがありますが、「地震保険」ではそれほどの額は支払われません。

大地震の損害をカバーするような、普通の保険制度をつくるのは難しいのです。逆に言えば、普通の保険でカバーするのが難しい災害を「天災」というのだと言ってもいいかもしれません。

明治時代の物理学者で随筆家でもあった寺田寅彦は、「天災は忘れた頃にやってくる」ということを言ったそうです。

関東大震災の記録をみるとそれは大変な被害でしたから、それを体験した人が関東大震災のことを忘れるとは思えません。寺田が「忘れた頃」と言ったのは、天災の記録が歴史のなかにうずもれて、だれにも見られなくなることだと思います。天災は、せっかくの記録が顧みられなくなった頃にやって来るのでしょう。

よく「自分の体験が大切だ、自分で体験しないことを信じてはいけない」と言いますが、地震に関しては、私は大地震にあったことがないから大丈夫と考えてはいけないのです。記録とか言い伝えを信じるべきなのです。

「だから、じいの言うことはまじめに聞かなきゃいけないよ」と私はユウに言ってやりました。

「わかった。でもいまの子どもは昔の子どもと違うよ。だから子どものいうこともまじめに聞かなきゃいけないよ」というのがユウの返事でした。納得です。

問題コーナー

① 図11－8を床に置いて、左端の矢印の先の本当の先端まで行ってきて下さい。

② マグニチュード9の地震の大きさを想像してみてください。

【解答例】 ①ユウの答えは「運動公園があった」でした。

②落ちてくるものの運動エネルギーはそのものの質量に比例します。1キログラムの鉄のかたまりが10メートルの高さから地面に落ちるときのエネルギーが、だいたい100ジュールです。マグニチュード9の地震のエネルギーはだいたい1000000000000000000ジュール、ほぼ、10メートル上から落ちてきた10兆トンの鉄のかたまりが持っているエネルギーです。

統計学的には

科学はいろいろなことを研究しますが、そのなかに、ある場所あるいはある一瞬にだけ姿を現わすものがあります。現われる姿を研究することが大切ですが、どのような時、どのような場所に姿を現わすのかを調べることも大切です。

統計学ではそのような現象を**点過程**と言います。地震が起きた時刻、震源の位置、お店にお客がやって来た時刻、鳥の巣の位置などが点過程です。

点過程の研究のなかで、大地震のようにまれにしか起きないことの起き方の研究は、起き方が少ないだけにデータがなかなか手に入らないので難しいのです。難しくても人の生活にあまり影響しないならいいのですが、大地震は被害がものすごく大きく、確率は小さくても被害の期待値がかなり大きいのがやっかいなところです。

図11-11の説明のなかで物価調整という言葉が使われています。物価、物の値段の変化を調べるのも統計学の仕事です。

この話の材料となった地震データは気象庁、火災統計は消防庁、有形固定資産は内閣府、阪神・淡路大震災については神戸市が公表しています。統計学の教科書というと統計解析の技術を伝えるものがほとんどですが、公的機関などが公表している統計データにどのようなものがあって、それがどう利用できるかを知ることも、統計学の勉強の一部と考えるのがいいでしょう。

なお、10話ではエネルギーをジェブで測っていましたが、11話ではジュールで測っています。これらは互いに換算できて、1ジェブは約1.6×10^{-10}ジュール。ヒッグス粒子1粒のエネルギーを126・5ジェブとすると、約2.0×10^{-8}ジュール。これを地震のマグニチュードで表わすと、-8.3くらいになります。

第12話 じゃんけんソフト、スタッツ——意思決定

ユウがぷんぷん怒っています。


「あれ絶対、後出しだよ」

「後出しって、じゃんけんの後出しのこと？」

「うん」

「負けたんだ」

「うん」

スタッツとじゃんけん

ユウはパソコンでじゃんけんゲームをして負けたのです。それはこんなゲームでした。

これはゲーム途中の画面です．右上にいるのがスタッツというキャラクターです．ユウがグー，チョキ，パーのパターンのどれかをクリックすると，スタッツの手が現われて勝ち負けが決まり，勝った方に1点与えられます．左端に表示されているのがユウの得点の合計，右端がスタッツの得点の合計です．どちらか先に15点とった方がゲームの勝利者になります．図は，スタッツが勝って合計点が11点になったところです．スタッツの頭の横に見えている数字については本文で……

図12-1　じゃんけんゲーム

図12-1の画面で右上にいるスタッツというキャラクターがじゃんけんの相手です。ユウがグー、チョキ、パーのどれかを選ぶと、スタッツも手を出して、勝ち負けが決まります。勝った方が1点をとり、先に15点とった方が勝ちというゲームです。図12-1はゲームが途中まで進行してユウがグーを選び、スタッツがパーを出した結果スタッツの11勝6敗になったところです。

「なぜ後出しだって思うの？」

「だってこっちが手を選んでからスタッツが手を出すんだよ」

「なるほど。あやしいね。ゲームを作った人に聞いてみたら？」

「聞けるんなら聞くよ」

「聞けるよ。聞いてよ」

私がそう言うとユウはしばらく考えてから聞きました。

「それって、じいがこのゲームを作ったってこと？」

「そうだよ」

じつは、このじゃんけんゲームは私が統計数理研究所という統計学を研究するところに勤めていたときに作ったものだったのです。私はこのゲームのことを何でも知っています。

「後出ししないの？」

「しないよ」私は言いました。「スタッツの頭の横に数字があったのを見た？」

「見たよ。なんなのあれ」

スタッツは後出ししない

図12-1を見るとスタッツの頭の横に641537 3と書かれています。この数字はスタッツが次に出す手を予告する暗号になっているのです。スタッツが予告した以外の手を出すことはありません。スタッツは後出しできないのです。私はそう説明しました。

「しないのに強いのはなぜ?」

「スタッツが人工知能で、ユウがどんなクセを持ってるか見やぶって、次にどんな手を出しそうか見当をつけて、それに勝てそうな手を選んで待っているんだよ」

集計しているだけ

スタッツは、相手が出した手と自分が出した手を記録(=記憶)します。ゲーム途中では、たとえば図12-2のようなデータを持っています。このデータからユウのクセを探しだすときはこんなふうにします。難しそうですが集計するだけです。集計するだけといってもいろいろな集計法があります。

まず単純集計です。図12-2上段のユウの手を調べてみると、最初の2回を除いた24回の

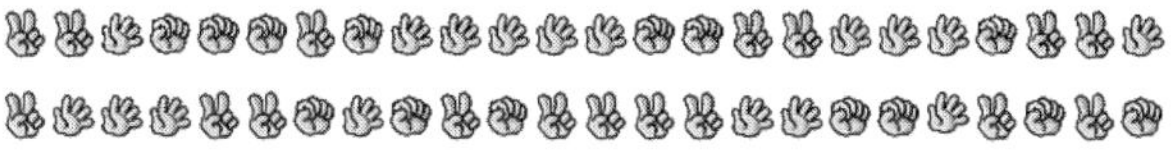

図 12-2　連続じゃんけん対戦の記録(上：ユウ，下：スタッツ)．時間の順は左から右へ

うちグーが7回、チョキが5回、パーが10回です。集計表の形にすると、**表12-1**になります。これで見るとユウは「パーが多い」というクセを持っているのかもしれません。

集計の仕方はほかにもあります。ユウ自身が出した前の手との関係で集計してみましょう(こういう分析をするために、最初の2回の手を除いておいたのです)。たとえば**図12-2**のデータでユウの3回目の手はパーですが、その直前の2回目はチョキです。チョキの次にパーを出しているわけです。パーはチョキに負ける手です。このような手の連続を「負けまわり」と呼ぶことにしましょう。パーの次にグーを出すのも負けまわり、パーの次にチョキを出せば「勝ちまわり」です。

手の連続させ方は「負けまわり」「くり返し」「勝ちまわり」のどれかになります。ユウの記録にこの3種の手の連続がそれぞれ何回あるか勘定して、集計表を作ってみると**表12-2**のようになります。

表12-1の集計より**表12-2**の集計の方が、メリハリがはっきりしていて、強い「クセ」、つまり規則性があるように見えます。

表 12-1　単純な集計その 1
（AIC＝50.62）

グー	チョキ	パー
7	5	10

表 12-2　手の連続に着目した集計
その 1（AIC＝44.93）

負けまわり	くり返し	勝ちまわり
9	11	2

クセは集計に表われる

このようにさまざまな集計の仕方を考えて規則性を探すのは、第8話でハチの知能を研究した子どもたちもやったことです。スタッツはこの規則性の強さを第4話や第7話にも出てきたＡＩＣという数値で測ります。**表12−1**のＡＩＣ値は50・62、**表12−2**はＡＩＣ＝44・93です。ＡＩＣの値は小さいほどその集計がデータの規則性をはっきりととらえていることを意味します。

スタッツはもっと複雑な連続性も考慮して、さまざまな集計表を作り、ＡＩＣの値が最も小さいものを選びだします。この集計に相手のクセが現われていると見なすのです。スタッツが最終的に選んだのが**表12−2**の集計だとすると、相手がいま出したのが「パー」ですから、次に出す手がパーに負けるグーである確率は22分の9＝0・41、パーが続く確率は22分の11＝0・50、パーに勝つチョキが出る確率は22分の2＝0・09と予想します。

スタッツの意思決定

ここでスタッツはどの手を出すか決めるにあたって**表12‐3**に示すような確率的利得表と呼ばれる表を作ります。

確率的利得表はこれから何が起きるかよくわからないけれど何かしなくてはならない時に、選んだことと実際に起きたことそれぞれの組み合わせに損得の点数をつけて表の形にまとめたものです。いろいろな結果に損得の点数をつけるのが難しい場合もありますが、じゃんけんの場合は勝ち、負け、あいこにそれぞれ1点、マイナス1点、0点をつければいいので簡単です。これから起きることには起こりやすさを見積もって確率を与えます。

表12‐3の場合、グーを出したときに取れる得点の期待値は**図12‐3**の式による計算でマイナス0・41と計算され、チョキで0・09、パーで0・32です。パーを出すのが一番得です。

こんな方法でスタッツは相手のクセにもとづいて、自分の手を決めているのです。

表 12-3　確率的利得表

		相手の次の手		
		グー	チョキ	パー
確　率		0.41	0.09	0.5
意思決定	グー	0	1	−1
	チョキ	−1	0	1
	パー	1	−1	0

$$-1\times0.5+1\times0.09=-0.41$$

図 12-3　グーを出したときの得点の期待値

「だから強いんだよ」私は言いました。「後出しなんかしてないよ」

スタッツが後出しされるとき

スタッツはいろいろなイベントにも出場しますが、そんなときにはモニターを2つ用意して、じゃんけんをしている相手には見えない「裏画面」で次の手の予告をします（図12-4、図12-5）。

1人の子どもがスタッツとじゃんけんをしています。右にあるモニターにスタッツが次に出す手がすでに表示されています。イベントでスタッツとじゃんけんをしようと待っている人たちにこの裏画面を見てもらうと退屈しないし、スタッツが後出ししていないことが一目瞭然（いちもくりょうぜん）という、一石二鳥のしかけです。

「スタッツが後出ししてないのはわかったけど」ユウがまた首をかしげています。

「裏画面見てる人にはスタッツが次に何出すかわかるんでしょ」

「わかるよ」

「友だちが見てて教えたら、ぜったい勝てるじゃない」

そうなのです。スタッツが後出しを疑われないようにしたら、スタッツが後出しされるかもしれないことになったのです。

子どもがスタッツとじゃんけんしています．右側のモニターにスタッツが次に出す手が表示されています

図 12-4　スタッツの２つのモニター

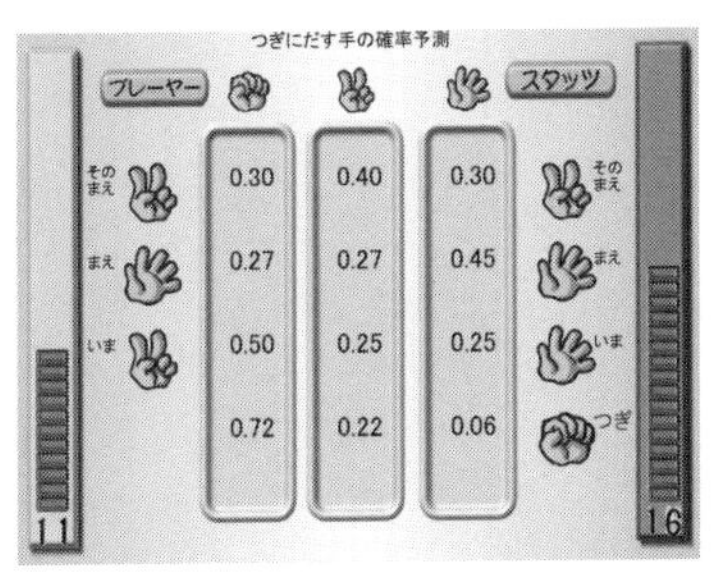

中央部に表示されているのが，スタッツによる相手の出す手の確率予測です．一番上の行を見ると相手のグー，チョキ，パーの確率を 0.30，0.40，0.30 と予測してチョキを出したこと，相手の実際の手がチョキだったことがわかります．一番下の行を見ると，相手のグー，チョキ，パーの確率の予想 0.72，0.22，0.06 にもとづいて，次にグーを出すと決めたということです

図 12-5　スタッツの「裏画面」

後出しは、ばれる

これまでの記録から実際何人かが後出ししていたことがわかっています。その場で見張っていたわけではありませんが、残されたデータを調べるとわかるのです。こんなふうに調べます。

たとえば次のような例があります。あるプレーヤーが出した手を集計してみると、このプレーヤーはグー・チョキ・パーを均等に出しているし、手の連続のさせ方にもクセはありません（表12-4、表12-5）。

表12-4　単純な集計その2（AIC＝111.62）

グー	チョキ	パー
17	16	16

表12-5　手の連続に着目した集計その2（AIC＝111.62）

負けまわり	くり返し	勝ちまわり
17	16	16

表12-6　スタッツが用意した手に着目した集計（AIC＝93.14）

負けまわり	くり返し	勝ちまわり
13	6	30

ところが、スタッツが裏画面で出した手との関係で集計してみると（表12-6）、スタッツが（こっそりと）予告した手に勝つように出したのが30回もあって、手の予告を見ていたことが見え見えです。集計のよさを評価するＡＩＣの値を計算してみると、表12-4と表12-5に比べてずっと小さい値になっています。

スタッツは、ゲーム中にも常にこのような集計をしていて、相手が手の予告画面を見るか、それを見た人から情報をもらっているのではないか見張っています。そしてその兆候が見えると、相手のクセを利用して手を決めるのをやめて、グー・チョキ・パーをでたらめに出す戦略に切りかえます。

スパイ映画などに出てくる、街の中をでたらめに走りまわって尾行して来る車を見つけ出すのに似た方法です。

「わかったかい？」

「何が？」

「統計学がどんなものなのかってこと」

「統計学でじゃんけんがわかるのはなんとなくわかった」

ユウは用心深い言い方をしました。

「統計学でじゃんけんがわかることがわかれば統計学がわかる」

「なんだかぐるぐる回ってる」

「回っているうちにわかってくるんだよ」

問題コーナー

相手がグー・チョキ・パーを出す確率が0.7、0.0、0.3だとわかったとき、どの手を出すのが得でしょう。確率が0.37、0.0、0.7だったら？

【解答例】相手がグー・チョキ・パーを出す確率が0.7、0.0、0.3のとき、グーを出したときの得点の期待値はマイナス0.3、チョキを出したときの期待値はマイナス0.4、パーを出せば0.7で断然パーが得です。もうひとつの問題は自分で計算してみてください。

統計学的には

明日、山登りに行こうかそれとも海に行こうかと迷っているとします。天気予報を見たら山の**降水確率**が40％、海の降水確率が10％だとしましょう。そんなときにどうするか決めるのが**意思決定**です。雨にあわずに山に登れたときの楽しさ、山で雨のなか山道を歩くつらさなどに点数をつけることができれば、**確率的利得表**を使って意思決定できます。

だれでも何か決めるとき、選択肢を並べてそれぞれがうまくいったときと、見込みがはずれたときに何が起きるか考えるでしょう。そういう考え方をきっちりとつきつめると確率的利得表になるわけです。

確率のところだけが空欄になった確率的利得表をつくることができたとしましょう。カメラやマイクロフォンのような観測装置を通じてデータを得て自動的に統計分析して、さまざまな状況でその先に起きることの確率を推定できるような装置に確率以外のところがうまった確率的利得表を与えると人工知能を備えたロボットができあがります。そんなやり方で、喜んだりぷんぷん怒ったりすること以外なんでも人間の代わりをしてくれるロボットが作れるのではないか、と「じい」は考えています。

じつは、この章で紹介したスタッツはすでにそういうロボットになっています。じゃんけんでは勝ち負けあいこのルールはだれでも知っていて、わからないのは相手がどんな手を出すかの確率だけです。スタッツは人と対戦しながら相手が出す手の確率を推定して適切な手を選ぶ人工知能ロボットなのです。

あとがき

お話に書けませんでしたが、統計学のなかに**統計的自然言語処理**というものがあります。その分野で使われるソフトを使って、この本で私が使った言葉を調べてみました。

私は動詞を５６６語、名詞を２１０６語、接続詞を38語使ってました。動詞ひとつの平均使用回数が10・6回、名詞は7.4回でした。「統計」が67回、そして「ユウ」が１１６回、「サイコロ」が１１８回も使われてました。

統計を楽しむにはヒストグラムなどを自分で描いてみるのが一番です。この本の図のほとんどはエクセルを使って描いています。

http://www.ism.ac.jp/~ishiguro/book-support/sanpo/ のサイトから私が作った道具にアクセスできます。第6話に書いたサイコロシミュレータやそれで作った転がるサイコロのアニメなども見られます。

第12話で紹介したじゃんけんソフトは、平成11年(１９９９年)2月8日に文部省から統計数理研究所に届いた「大学子ども開放プラン」の企画募集に研究所が応募したときに作られたものです。じつは私は、子どもに統計学を紹介するのは難しいからいやだと反対したのですが、多勢に無勢、企画に協力しなくてはならなくなりました。そしてやってみたら、じゃんけんソフトを作るという仕事は、いつもは統計学の方法の研究だけしている研究所が統計的意思決定の方法を使って実際の問題を解くというとてもおもしろい仕事だったのです。

それが縁になってこの本につながっています。自分の殻に閉じこもっていないで何でもやってみるといいことにぶつかるものです。そのとき作ったソフトがもとになったスマホアプリがいま研究所で配布されています。

スマホユーザーはhttp://appli.ism.ac.jp/janken/janken_support.htmlからアプリをダウンロードしてスタッツとのじゃんけんを体験してみてください。もともとのパソコン版ゲームも千葉大学西千葉キャンパスのサイエンスプロムナードで公開されています。チャンスがあったら行ってみてください。

この本を書くにあたって編集を担当された塩田春香さんには大変お世話になりました。
浅井祥二さん、朝倉玲子さん、椎名久美子さん、田栗正章さん、田中太郎さん、兵頭俊夫さん、平木哲さん、持橋大地さん、Cちゃん、Yちゃん(あいうえお順)にもお礼申しあげます。ありがとうございました。

最後に、ユウから言いたいことがあるそうです。

「じいは何を聞いてもいいよって言うの。
聞くとうれしそうな顔して、
本当に知らないんだね?
教えてあげたら信用するね?って変なことという。
だから、
ユウは教わったこと絶対にうのみしない。
自分でよーく考えるんだ」

いい子ですね。じゃあね。

石黒真木夫

1946年，埼玉県生まれ．統計数理研究所名誉教授．岩波少年文庫とランサム全集を読んで育つ．大学生になって小さなヨットを手に入れたとき，ランサムを読んで得た知識でヨットを走らせ，「机上の学問」もむだではないと学んだ．東京大学教養学部基礎科学科，東京大学大学院理学系研究科相関理化学専門課程を経て，文部省所轄の統計数理研究所に就職．統計学に出会う．時系列解析，情報量規準，ベイズ統計学を研究．大学入試センターで法科大学院適性試験の問題作りをしたときから，統計学の社会的役割が気になるようになる．著書に『情報量統計学』(共立出版，1983，共著)，『統計科学のフロンティア5 多変量解析の展開』(岩波書店，2002，共著)など．

統計学をめぐる散歩道
——ツキは続く？ 続かない？　　岩波ジュニア新書 913

2020年2月20日　第1刷発行

著　者　石黒真木夫（いしぐろまきお）

発行者　岡本　厚

発行所　株式会社　岩波書店
〒101-8002 東京都千代田区一ツ橋 2-5-5
案内 03-5210-4000　営業部 03-5210-4111
ジュニア新書編集部 03-5210-4065
https://www.iwanami.co.jp/

印刷・精興社　製本・中永製本

ISBN 978-4-00-500913-8　　Printed in Japan

岩波ジュニア新書の発足に際して

きみたち若い世代は人生の出発点に立っています。きみたちの未来は大きな可能性に満ち、陽春の日のようにひかり輝いています。勉学に体力づくりに、明るくはつらつとした日々を送っていることでしょう。

しかしながら、現代の社会は、また、さまざまな矛盾をはらんでいます。営々として築かれた人類の歴史のなかで、幾千億の先達(せんだつ)たちの英知と努力によって、未知が究明され、人類の進歩がもたらされ、大きく文化として蓄積されてきました。にもかかわらず現代は、核戦争による人類絶滅の危機、貧富の差をはじめとするさまざまな人間的不平等、社会と科学の発展が一方においてもたらした環境の破壊、エネルギーや食糧問題の不安等々、来るべき二十一世紀を前にして、解決を迫られているたくさんの大きな課題がひしめいています。現実の世界はきわめて厳しく、人類の平和と発展のためには、きみたちの新しい英知と真摯(しんし)な努力が切実に必要とされています。

きみたちの前途には、こうした人類の明日の運命が託されています。ですから、たとえば現在の学校で生じているささいな「学力」の差、あるいは家庭環境などによる条件の違いにとらわれて、自分の将来を見限ったりはしないでほしいと思います。個々人の能力とか才能は、いつどこで開花するか計り知れないものがありますし、努力と鍛錬の積み重ねの上にこそ切り開かれるものですから、簡単に可能性を放棄したり、容易に「現実」と妥協したりすることのないようにと願っています。

わたしたちは、これから人生を歩むきみたちが、生きることのほんとうの意味を問い、大きく明日をひらくことを心から期待して、ここに新たに岩波ジュニア新書を創刊します。現実に立ち向かうために必要とする知性、豊かな感性と想像力を、きみたちが自らのなかに育てるのに役立ててもらえるよう、すぐれた執筆者による適切な話題を、豊富な写真や挿絵とともに書き下ろしで提供します。若い世代の良き話し相手として、このシリーズを注目してください。わたしたちもまた、きみたちの明日に刮目(かつもく)しています。（一九七九年六月）